Jorge Semprun

Le grand
voyage

Gallimard

Pour JAIME,
parce qu'il a 16 ans.

I

Il y a cet entassement des corps dans le wagon, cette lancinante douleur dans le genou droit. Les jours, les nuits. Je fais un effort et j'essaye de compter les jours, de compter les nuits. Ça m'aidera peut-être à y voir clair. Quatre jours, cinq nuits. Mais j'ai dû mal compter ou alors il y a des jours qui se sont changés en nuits. J'ai des nuits en trop ; des nuits à revendre. Un matin, c'est sûr, c'est un matin que ce voyage a commencé. Toute cette journée-là. Une nuit ensuite. Je dresse mon pouce dans la pénombre du wagon. Mon pouce pour cette nuit-là. Et puis une autre journée. Nous étions encore en France et le train a à peine bougé. Nous entendions des voix, parfois, de cheminots, au-delà du bruit de bottes des sentinelles. Oublie cette journée, ce fut le désespoir. Une autre nuit. Je dresse un deuxième doigt dans la pénombre. Un troisième jour. Une autre nuit. Trois doigts de ma main gauche. Et ce jour où nous sommes. Quatre jours, donc, et trois nuits. Nous avançons vers la quatrième nuit, le cinquième jour. Vers la cinquième nuit, le sixième jour. Mais c'est nous qui avançons ?

Nous sommes immobiles, entassés les uns sur les autres, c'est la nuit qui s'avance, la quatrième nuit, vers nos futurs cadavres immobiles. Il me vient un grand éclat de rire : ça va être la Nuit des Bulgares, vraiment.

« Te fatigue pas », dit le gars.

Dans le tourbillon de la montée, à Compiègne, sous les cris et les coups, il s'est trouvé à côté de moi. Il a l'air de n'avoir fait que ça toute sa vie, voyager avec cent dix-neuf autres types dans un wagon de marchandises cadenassé. « La fenêtre », a-t-il dit brièvement. En trois enjambées et trois coups de coude, il nous a frayé un passage jusqu'à l'une des ouvertures, barrée par du fil de fer barbelé. « Respirer, c'est l'essentiel, tu comprends, pouvoir respirer. »

« Ça t'avance à quoi, de rire », dit le gars. « Ça fatigue pour rien. »

« Je pensais à la nuit prochaine », lui dis-je.

« Quelle connerie », dit le gars. « Pense aux nuits passées. »

« Tu es la raison raisonnante. »

« Je t'emmerde », qu'il me répond.

Ça fait quatre jours et trois nuits que nous sommes imbriqués l'un dans l'autre, son coude dans mes côtes, mon coude dans son estomac. Pour qu'il puisse poser ses deux pieds bien à plat sur le plancher du wagon, je suis obligé de me tenir sur une jambe. Pour que je puisse en faire autant, et sentir les muscles des mollets se décontracter un peu, il se dresse aussi sur une seule jambe. On gagne quelques centimètres ainsi et nous nous reposons à tour de rôle.

Autour de nous, c'est la pénombre, avec des

respirations haletantes et des poussées subites, affolées, quand un type s'effondre. Lorsqu'ils nous ont comptés cent vingt devant le wagon, j'en ai eu froid dans le dos, en essayant d'imaginer ce que ça pouvait donner. C'est encore pire.

Je ferme les yeux, je rouvre les yeux. Ce n'est pas un rêve.

« Tu vois ça ? », je lui demande.

« Eh bien ? », dit-il, « c'est la campagne. »

C'est la campagne, en effet. Le train roule lentement sur une hauteur. Il y a de la neige, de grands sapins, des fumées calmes dans le ciel gris.

Il regarde un instant.

« C'est la vallée de la Moselle. »

« Comment peux-tu savoir ? », je lui demande.

Il me regarde pensivement et hausse les épaules.

« Par où veux-tu qu'on passe ? »

Il a raison, le gars, par où voulez-vous qu'on passe, pour aller Dieu sait où ? Je ferme les yeux et ça chantonne doucement en moi : vallée de la Moselle. J'étais perdu dans la pénombre, mais voici que l'univers se réorganise autour de moi, dans l'après-midi d'hiver qui décline. La vallée de la Moselle, ça existe, on doit la trouver sur des cartes, dans les atlas. A H. IV, nous chahutions le professeur de géographie, ce n'est sûrement pas de là que je garde un souvenir de la Moselle. De toute cette année-là, je ne crois pas avoir appris une seule fois la leçon de géographie. Bouchez m'en voulait à mort. Comment est-ce possible que le premier en philo ne s'intéresse pas à la géographie ? Il n'y avait aucun rapport, bien entendu. Mais il m'en voulait à mort. Surtout depuis cette histoire des chemins de fer d'Europe centrale. J'avais sorti le grand jeu et je lui avais même collé les noms des trains. Je me souviens de l'Harmonica Zug, je lui avais collé entre autres l'Harmonica Zug. « Bon devoir », avait-il noté, « mais trop exclusivement basé sur des souvenirs personnels. » Alors, en pleine classe, quand il nous avait rendu les copies, je lui avais fait remarquer que je n'avais aucun souvenir personnel de l'Europe centrale. L'Europe centrale, connais pas. Simplement, j'avais tiré profit du journal de voyage de Barnabooth. Vous ne connaissez pas A. O. Barnabooth, monsieur Bouchez ? A dire vrai, je ne sais toujours pas s'il connaissait A. O. Barnabooth. Il a piqué une crise et j'ai failli passer en conseil de discipline.

Mais voici la vallée de la Moselle. Je ferme les yeux, je savoure cette obscurité qui se fait en moi, je savoure cette certitude de la vallée de la Moselle, au-dehors, sous la neige. Cette certitude éblouissante dans les tons gris, les grands sapins, les villages pimpants, les fumées calmes dans le ciel de l'hiver. Je m'efforce de garder les yeux fermés, le plus longtemps possible. Le train roule doucement, avec un bruit d'essieux monotone. Il siffle, tout à coup. Ça a dû déchirer le paysage d'hiver, comme ça déchire mon cœur. J'ouvre les yeux, rapidement, pour surprendre le paysage, le prendre au dépourvu. Il est là. Il est simplement là, il n'a rien d'autre à faire. Je pourrais mourir maintenant, debout dans le wagon bourré de futurs cadavres, il n'en serait pas moins là. La vallée de la Moselle serait là, devant mon regard mort, somptueusement belle comme un Breughel d'hiver. Nous pourrions tous mourir, moi-même, et ce gars de Semur-en-Auxois, et le vieux qui hurlait tout à l'heure, sans arrêt, ses voisins ont dû l'assommer, on ne l'entend plus, elle serait quand même là, devant nos regards morts. Je ferme les yeux, j'ouvre les yeux. Ma vie n'est plus que ce battement de paupières qui me dévoile la vallée de la Moselle. Ma vie a fui de moi, elle plane sur cette vallée d'hiver, elle est cette vallée douce et tiède dans le froid de l'hiver.

« Tu joues à quoi ? », dit le gars de Semur.

Il me regarde attentivement, il essaye de comprendre.

« Tu te trouves mal ? » me demande-t-il.

« Pas du tout », lui dis-je, « Pourquoi donc ? »

« Tu clignes des yeux comme une demoiselle », affirme-t-il. « Un vrai cinéma. »

Je le laisse dire, je ne veux pas me distraire.

Le train tourne sur le remblai de la voie à flanc de colline. La vallée se déploie. Il ne faut pas me laisser distraire de cette joie tranquille. La Moselle, ses coteaux, ses vignes sous la neige, ses villages de vignerons sous la neige, me rentrent par les yeux. Il y a des choses, des êtres ou des objets, dont on dit qu'ils vous sortent par les trous du nez. C'est une expression française qui m'a toujours amusé. Ce sont les objets qui vous encombrent, les êtres qui vous accablent, qu'on rejette, métaphoriquement, par les trous du nez. Ils reviennent à leur existence en dehors de moi, rejetés de moi, trivialisés, déchus, par leur rejet de moi. Mes trous de nez deviennent l'exutoire d'un orgueil démesuré, les symboles mêmes d'une conscience qui s'imagine souveraine. Cette femme, ce copain, cette musique ? Finis, n'en parlons plus, par les trous de nez. Mais la Moselle, c'est tout le contraire. La Moselle me rentre par les yeux, inonde mon regard, gorge d'eaux lentes mon âme pareille à une éponge. Je ne suis rien d'autre que cette Moselle qui envahit mon être par les yeux. Il ne faut pas me laisser distraire de cette joie sauvage.

« On fait du bon vin, dans ce pays-ci », dit le gars de Semur.

Il veut qu'on parle. Il n'a sûrement pas deviné que je suis en train de me noyer dans la Moselle, mais il sent qu'il y a du louche sous mon silence. Il veut qu'on soit sérieux, le gars, ce n'est pas une plaisanterie, ce voyage vers un camp d'Allemagne, il n'y a pas de quoi cligner des yeux comme un con devant la Moselle. Il est d'un pays de vignes, alors il se raccroche aux vignes de la Moselle, sous la neige mince et poudreuse. C'est sérieux, les vignes, ça le connaît.

« Un petit vin blanc », dit le gars. « Quand même pas aussi fameux que le chablis. »

Il se venge, c'est régulier. La vallée de la Moselle nous tient enfermés dans ses bras, c'est la porte de l'exil, une route sans retour, peut-être, mais leur petit vin blanc ne vaut pas le chablis. C'est une consolation, en quelque sorte.

Il voudrait que l'on parle du chablis, je ne lui parlerai pas du chablis, pas tout de suite, en tout cas. Il sait que nous avons des souvenirs communs, que nous nous sommes peut-être même rencontrés, sans nous connaître. Il était dans le maquis, à Semur, quand nous avons été leur apporter des armes, Julien et moi, après le coup dur de la scierie, à Semur. Il voudrait que l'on évoque des souvenirs communs. Ce sont des souvenirs sérieux, comme les vignes et le travail des vignes. Ce sont des souvenirs solides. A-t-il peur d'être seul, qui sait, tout à coup ? Je ne

16

crois pas. Pas encore, tout au moins. C'est de ma solitude qu'il a peur, certainement. Il a cru que je flanchais, subitement, devant ce paysage mordoré sur un fond blanc. Il a cru que ce paysage m'avait frappé à quelque point sensible, que je flanchais, que je ramollissais subitement. Il a peur de me laisser tout seul, le gars de Semur. Il m'offre le souvenir du chablis, il veut que nous buvions ensemble le vin nouveau des souvenirs communs. L'attente dans la forêt, avec les S. S. embusqués sur les routes, après le coup de la scierie. Les sorties nocturnes, en traction-avant aux vitres éclatées, le f. m. pointé vers l'ombre. Des souvenirs d'homme, autrement dit.

Mais je ne flanche pas, mon vieux. Ne prends pas mon silence en mauvaise part. Nous parlerons tout à l'heure. C'était beau, Semur, en septembre. Nous parlerons de Semur. Il y a une histoire, d'ailleurs, que je ne t'ai pas encore dite. Julien, ça l'embêtait que la moto soit perdue. Une « Gnôme et Rhône » puissante, presque neuve. Elle était restée dans la scierie, cette nuit-là, quand les S. S. sont arrivés en force et que vous avez dû décrocher vers les hauteurs boisées. Ça l'embêtait, Julien, qu'elle soit perdue, cette moto. Alors, nous sommes allés la chercher. Les Allemands avaient établi un poste au-dessus de la scierie, de l'autre côté de l'eau. Nous y sommes allés en plein jour, nous faufilant dans les hangars et parmi les tas de bois. La moto était bien là, cachée sous des bâches, son réservoir à demi plein d'essence. Nous l'avons poussée jusqu'à la route. Au bruit du démarrage, les Allemands, bien sûr, allaient réagir. Il y avait un bout de route, en pente raide, complètement à découvert. Du haut de leur observatoire

17

les S. S. allaient nous tirer dessus comme à la foire. Mais il tenait à cette moto, Julien, il y tenait vraiment. Je te raconterai cette histoire tout à l'heure, tu vas être content de savoir que la moto n'a pas été perdue. Nous l'avons menée jusqu'au maquis du « Tabou », sur les hauteurs de Larrey, entre Laignes et Châtillon. Mais je ne raconterai pas la mort de Julien, à quoi bon te raconter la mort de Julien ? De toute façon, je ne sais pas encore que Julien est mort. Julien n'est pas encore mort, il est sur la moto, avec moi, nous filons vers Laignes dans le soleil de l'automne et les patrouilles de la Feld s'inquiètent de cette moto fantôme sur les routes de l'automne, elles tirent à l'aveuglette sur ce bruit fantôme de moto sur les routes dorées de l'automne. Je ne te raconterai pas la mort de Julien, il y aurait trop de morts à raconter. Toi-même, tu seras mort avant la fin de ce voyage. Je ne pourrai pas te raconter comment Julien est mort, je ne le sais pas encore et tu seras mort avant la fin de ce voyage. Avant que l'on ne revienne de ce voyage.

Nous serions tous morts dans ce wagon, entassés morts debout, cent vingt dans ce wagon, qu'il y aurait cependant la vallée de la Moselle devant nos regards morts. Je ne veux pas me laisser distraire de cette certitude fondamentale. J'ouvre les yeux. Voici la vallée façonnée par un travail séculaire, les vignes étagées sur les coteaux, sous une couche mince de neige craquelée, striée de traînées brunâtres. Mon regard n'est rien sans ce paysage. Je serais aveugle sans ce paysage. Mon regard ne découvre pas ce paysage, il est mis à jour par ce paysage. C'est la lumière de ce paysage qui invente mon regard. C'est l'histoire de ce paysage, la longue histoire de la création de ce paysage par le travail des vignerons de la Moselle, qui donne à mon regard, à tout moi-même, sa consistance réelle, son épaisseur. Je ferme les yeux. Il n'y a plus que le bruit monotone des roues sur les rails. Il n'y a plus que cette réalité absente de la Moselle, absente de moi, mais présente à elle-même, telle qu'en elle-même l'ont faite les vignerons de la Moselle. J'ouvre les yeux, je ferme les yeux, ma vie n'est plus qu'un battement de paupières.

« Tu as des visions ? », dit le gars de Semur.

« Justement », je dis, « justement pas. »

« On dirait, pourtant. On dirait que tu ne crois pas à ce que tu vois. »

« Justement, justement si. »

« Ou bien que tu vas tourner de l'œil. »

Il me regarde avec circonspection.

« Ne t'en fais pas. »

« Ça va aller ? », qu'il me demande.

« Ça va aller, je t'assure. Ça va, en réalité. »

Il y a tout à coup des cris dans le wagon, des hurlements. Une poussée brutale de toute la masse inerte des corps entassés nous colle littéralement contre la paroi du wagon. Nos visages frôlent le fil de fer barbelé qui boucle l'ouverture. Nous regardons la vallée de la Moselle.

« Elle est bien travaillée, cette terre », dit le gars de Semur.

Je regarde cette terre bien travaillée.

« Ce n'est pas comme chez nous, bien sûr », dit-il, « mais c'est du travail bien fait ».

« Les vignerons, c'est des vignerons. »

Il tourne légèrement la tête vers moi et ricane.

« Tu en sais, des choses », me dit-il.

« Je voulais dire. »

« Mais oui », dit-il, impatienté, « tu voulais dire,
c'est clair ce que tu voulais dire ».

« Leur vin ne vaut pas le chablis, tu disais ? »

Il me regarde du coin de l'œil. Il doit penser
que ma question est un piège. Il me trouve bien
compliqué, le gars de Semur. Mais ce n'est pas un
piège. C'est une question pour renouer le fil de nos
quatre jours et trois nuits de conversation. Je ne
connais pas encore le vin de la Moselle. C'est plus
tard seulement que je l'ai goûté, à Eisenach. Lors
du retour de ce voyage. Dans un hôtel d'Eisenach
où avait été installé le centre de rapatriement.
Ça a été une soirée curieuse, cette première soirée
de rapatriement. De quoi en être dégoûté. En fait,
nous étions plutôt dépaysés. C'était nécessaire,
sûrement, cette cure de dépaysement, pour nous
habituer de nouveau au monde. Un hôtel d'Eisenach,
avec des officiers américains de la IIIe Armée, des
Français et des Anglais des missions militaires
envoyées jusqu'au camp. Le personnel allemand,
tous des vieux déguisés en maîtres d'hôtel et garçons de café. Et des filles. Des tas de filles allemandes,
françaises, autrichiennes, polonaises, que sais-je
encore. Une soirée très comme il faut, au fond, très
ordinaire, chacun jouant son rôle et faisant son
métier. Les officiers américains mâchant leur gomme
à mâcher et parlant entre eux, buvant sec au goulot
de leurs propres bouteilles de whisky. Les officiers
anglais, solitaires, l'air ennuyé de se trouver sur
le Continent, dans cette promiscuité. Les officiers
français, entourés de filles, se débrouillant très bien
pour se faire comprendre par toutes ces filles d'origines diverses. Chacun faisant son métier. Les maî-

tres d'hôtel allemands faisant leur métier de maîtres d'hôtel allemands. Les filles de diverses origines faisant leur métier de filles d'origines diverses. Et nous, faisant notre métier de rescapés des camps de la mort. Un tant soit peu dépaysés, bien sûr, mais très dignes, le crâne rasé, les pantalons de toile rayée enfoncés dans les bottes que nous avions récupérées dans les magasins S. S. Dépaysés, mais très comme il faut, racontant nos petites histoires à ces officiers français qui pelotaient des filles. Nos dérisoires souvenirs de crématoire et d'appels interminables sous la neige. Ensuite, nous nous sommes assis autour d'une table, pour dîner. Il y avait une nappe blanche sur la table, des couverts à poisson, des couverts à viande, des couverts à dessert. Des verres de forme et de couleur différentes, pour le vin blanc, pour le vin rouge, pour l'eau. Nous avons ri sottement devant ces choses inhabituelles. Et nous avons bu le vin de la Moselle. Ça ne valait pas le chablis, ce vin de la Moselle, mais c'était du vin de la Moselle.

Je répète ma question, qui n'est pas un piège. Je n'ai pas encore bu le vin de la Moselle.

« Comment sais-tu que ça ne vaut pas le chablis, leur vin de par ici ? »

Il hausse les épaules. C'est l'évidence même. Ça ne vaut pas le chablis, c'est l'évidence.

Il m'agace, pour finir.

« Comment sais-tu que c'est la vallée de la Moselle, d'ailleurs ? »

Il hausse les épaules, c'est encore l'évidence même.

« Écoute, mon vieux, ne sois pas casse-pieds. Il faut bien que le chemin de fer suive les vallées. Par où voudrais-tu qu'on passe ? »

« Bien sûr », je fais, conciliant. « Mais pourquoi la Moselle ? »

« Je te dis que c'est le chemin. »

« Mais personne ne sait où l'on va. »

« Mais si, on sait. A quoi passais-tu ton foutu temps, à Compiègne ? On sait qu'on va à Weimar. »

A Compiègne, mon foutu temps, je l'ai passé à dormir. A Compiègne, j'étais seul, je ne connaissais personne, et puis le départ du transport était annoncé pour le surlendemain. J'ai passé mon foutu temps à dormir. A Auxerre, il y avait les copains de plusieurs mois, la prison en était devenue habitable. Mais à Compiègne on était des milliers, c'était une vraie pagaille, je ne connaissais personne.

« Je passais mon foutu temps à dormir. Je n'y suis resté qu'un jour et demi, à Compiègne. »

« Et tu avais sommeil », me dit-il.

« Je n'avais pas sommeil », je lui réponds, « pas particulièrement. Je n'avais rien d'autre à faire. »

« Et tu arrivais à dormir, avec le bordel qu'il y avait à Compiègne, ces jours-là ? »

« J'y arrivais. »

Il m'explique ensuite qu'il est resté plusieurs semaines, à Compiègne. Il a eu le temps de savoir. C'était l'époque des départs massifs pour les camps. Des renseignements sommaires parvenaient à filtrer. Les camps de Pologne étaient les plus terribles, les sentinelles allemandes en parlaient, paraît-il, en baissant la voix. Il y avait un autre camp, en Autriche, où il fallait espérer également ne pas aller. Il y avait ensuite des tas de camps, en Allemagne même, qui se valaient plus ou moins. La veille du départ, on avait su que notre convoi était dirigé vers l'un de ceux-là, près de Weimar. Et la vallée de la Moselle, c'était le chemin, tout simplement.

« Weimar », je dis, « c'est une ville de province ».

« Toutes les villes sont des villes de province », me dit-il, « sauf les capitales ».

Nous rions ensemble, puisque le bon sens est la chose du monde la mieux partagée.

« Je voulais dire, une ville provinciale. »

« C'est ça », dit-il, « quelque chose comme Semur, c'est ça que tu insinues ».

« Peut-être plus grand que Semur, je ne sais pas, sûrement plus grand. »

« Mais il n'y a pas de camp à Semur », me dit-il, hostile.

« Pourquoi pas ? »

« Comment, pourquoi pas ? Parce que. Tu voudrais dire qu'il pourrait y avoir un camp à Semur ? »

« Et pourquoi pas ? C'est une question de circonstances. »

« Je les emmerde, les circonstances. »

« Il y a des camps en France », j'explique, « il y aurait pu en avoir à Semur ».

« Il y a des camps en France ? »

Il me regarde, interloqué.

« Bien sûr. »

« Des camps français, en France ? »

« Bien sûr », je répète, « pas des camps japonais. Des camps français, en France ».

« Il y a Compiègne, c'est vrai. Mais je n'appelle pas ça un camp français. »

« Il y a Compiègne, qui a été un camp français en France, avant d'être un camp allemand en France. Mais il y en a d'autres, qui n'ont jamais été que des camps français en France. »

23

Je lui parle d'Argelès, Saint-Cyprien, Gurs, Châteaubriant. « Merde alors », qu'il s'exclame.

Ça le déroute, cette nouveauté. Mais il se reprend vite.

« Faudra que tu m'expliques ça, vieux », me dit-il.

Il ne met pas en doute mon affirmation, l'existence de ces camps français en France. Mais il ne se laisse pas non plus bousculer par cette découverte. Faudra que je lui explique. Il ne met pas en doute mon affirmation, mais elle ne cadre pas avec l'idée qu'il se faisait des choses. C'est une idée toute simple qu'il se fait des choses, avec tout le bien d'un côté et tout le mal de l'autre, pratique comme tout. Il n'a pas eu de difficulté à me l'exposer, en quelques phrases. Il est fils de paysans presque aisés, il aurait voulu quitter la campagne, devenir mécanicien, qui sait, ajusteur, tourneur, fraiseur, n'importe, du beau travail sur de belles machines, m'a-t-il dit. Et puis il y a eu le S. T. O. C'est évident qu'il n'allait pas se laisser emmener en Allemagne. L'Allemagne, c'était loin, et puis ce n'était pas la France, et puis, quand même, on ne va pas travailler pour des gens qui vous occupent. Il était devenu réfractaire, donc, il avait pris le maquis. Le reste en est issu tout simplement, comme d'un enchaînement logique. « Je suis patriote, quoi », m'a-t-il dit. Il m'intéressait, ce gars de Semur, c'était la première fois que je voyais un patriote en chair et en os. Parce qu'il n'était pas nationaliste, pas du tout, il était patriote. Des nationalistes, j'en connaissais. L'Architecte était nationaliste. Il avait le regard bleu, direct et franc, fixé sur la ligne bleue des Vosges. Il était nationaliste, mais il travaillait pour Buckmaster et le War Office. Le gars de Semur, lui, était patriote, pas nationaliste pour un sou. C'était mon premier patriote en chair et en os.

« C'est ça », lui dis-je, « je t'expliquerai tout à l'heure ».

« Pourquoi tout à l'heure ? »

« Je regarde le paysage », je lui réponds, « laisse-moi regarder le paysage ».

« C'est la campagne », dit-il, d'un air dégoûté.

Mais il me laisse regarder la campagne.

Le train siffle. Un sifflet de locomotive obéit toujours à des raisons précises, j'imagine. Il a une signification concrète. Mais la nuit, dans les chambres d'hôtel qu'on a louées près de la gare sous un faux nom et quand on tarde à s'endormir, à cause de tout ce qu'on pense, ou qui se pense tout seul, dans les chambres d'hôtel inconnues, les coups de sifflet des locomotives prennent une résonance inattendue. Ils perdent leur signification concrète, rationnelle, ils deviennent un appel ou un avertissement incompréhensibles. Les trains sifflent dans la nuit et l'on se retourne dans son lit, vaguement inquiet. C'est une impression nourrie de mauvaise littérature, certainement, mais elle n'en est pas moins réelle. Mon train à moi siffle dans la vallée de la Moselle et je vois défiler lentement le paysage de l'hiver. Le soir tombe. Il y a des promeneurs sur la route, en bordure de la voie. Ils vont vers ce petit village couronné de fumées calmes. Peut-être ont-ils un regard vers ce train, un regard distrait, ce n'est qu'un train de marchandises comme il en passe souvent. Ils vont vers leurs maisons. ils n'ont que faire de ce train, ils ont leur vie, leurs soucis, leurs propres histoires. Je réalise subitement, à les voir marcher sur cette route, comme si c'était

25

une chose toute simple, que je suis dedans et qu'ils sont dehors. Une profonde tristesse physique m'envahit. Je suis dedans, cela fait des mois que je suis dedans, et ces autres sont dehors. Ce n'est pas seulement le fait qu'ils soient libres, il y aurait beaucoup à dire là-dessus. C'est tout simplement qu'ils sont dehors, que pour eux il y a des routes, des haies au long des sentiers, des fruits sur les arbres fruitiers, des grappes dans les vignes. Ils sont dehors, tout simplement, alors que je suis dedans. Ce n'est pas tellement le fait de ne pas être libre d'aller où je veux, on n'est jamais tellement libre d'aller où l'on veut. Je n'ai jamais été tellement libre d'aller où je voulais. J'ai été libre d'aller où il fallait que j'aille, et il fallait que j'aille dans ce train, puisqu'il fallait que je fasse les choses qui m'ont conduit dans ce train. J'étais libre d'aller dans ce train, tout à fait libre, et j'ai bien profité de cette liberté. J'y suis, dans ce train. J'y suis librement, puisque j'aurais pu ne pas y être. Ce n'est donc pas ça du tout. C'est tout simplement une sensation physique : on est dedans. Il y a le dehors et le dedans, et je suis dedans. C'est une sensation de tristesse physique qui déferle en vous, rien d'autre.

Plus tard, cette sensation est devenue plus violente encore. A l'occasion, elle est devenue intolérable. Maintenant, je regarde ces promeneurs et je ne sais pas encore que cette sensation d'être dedans va devenir intolérable. Je ne devrais peut-être parler que de ces promeneurs et de cette sensation, telle qu'elle a été à ce moment, dans la vallée de la Moselle, afin de ne pas bouleverser l'ordre du récit. Mais c'est moi qui écris cette histoire et je fais comme je veux. J'aurais pu ne pas parler de ce gars de

Semur. Il a fait ce voyage avec moi, il en est mort, c'est une histoire, au fond, qui ne regarde personne. Mais j'ai décidé d'en parler. À cause de Semur-en-Auxois, d'abord, à cause de cette coïncidence de faire un tel voyage avec un gars de Semur. J'aime bien Semur, où je ne suis plus jamais retourné. J'aimais bien Semur, en automne. Nous y avons été, Julien et moi, avec trois valises pleines de plastic et de mitraillettes « sten ». Les cheminots nous avaient aidés à les planquer, en attendant qu'on prenne contact avec le maquis. Puis, on les a transportées au cimetière, c'est là que les gars sont allés les chercher. C'était beau, Semur en automne. Nous sommes restés deux jours avec les gars, sur la colline. Il faisait beau, c'était septembre d'un bout à l'autre du paysage. J'ai décidé de parler de ce gars de Semur, à cause de Semur, et à cause de ce voyage. Il est mort à mes côtés, à la fin de ce voyage, j'ai fini ce voyage avec son cadavre debout contre moi. J'ai décidé de parler de lui, ça ne regarde personne, nul n'a rien à dire. C'est une histoire entre ce gars de Semur et moi.

De toute façon, quand je décris cette impression d'être dedans qui m'a saisi dans la vallée de la Moselle, devant ces promeneurs sur la route, je ne suis plus dans la vallée de la Moselle. Seize ans ont passé. Je ne peux plus m'en tenir à cet instant-là. D'autres instants sont venus se surajouter à celui-là, formant un tout avec cette sensation violente de tristesse physique qui m'a envahi dans la vallée de la Moselle.

C'est le dimanche que cela pouvait arriver. Une fois l'appel de midi terminé, on avait des heures devant soi. Les haut-parleurs du camp diffusaient de

27

la musique douce dans toutes les chambrées. Et c'est au printemps que cette impression d'être dedans pouvait devenir intolérable.

J'allais au-delà du camp de quarantaine, dans le petit bois à côté du « revier ». A la lisière des arbres, je m'arrêtais. Plus loin, il n'y avait plus qu'une bande de terrain bien dégagé, devant les tours de guet et la barrière de barbelés électrifiés. On voyait la plaine de Thuringe, riche et grasse. On voyait le village dans la plaine. On voyait la route, qui longeait le camp sur une centaine de mètres. On voyait les promeneurs sur la route. C'était le printemps, c'était dimanche, les gens se promenaient. Il y avait des gosses, parfois. Ils couraient en avant, ils criaient. Il y avait des femmes, aussi, qui s'arrêtaient sur le bord de la route pour cueillir les fleurs du printemps. J'étais là, debout sur la lisière du petit bois, fasciné par ces images de la vie, au-dehors. C'était bien ça, il y avait le dedans et le dehors. J'attendais là, dans le souffle du printemps, le retour des promeneurs. Ils rentraient chez eux, les gosses étaient fatigués, ils marchaient sagement à côté de leurs parents. Les promeneurs rentraient. Je restais seul. Il n'y avait plus que le dedans et j'étais dedans.

Plus tard, un an plus tard, et c'était de nouveau le printemps, c'était le mois d'avril, j'ai aussi marché sur cette route et j'ai été dans ce village. J'étais dehors mais je n'arrivais pas à goûter cette joie d'être dehors. Tout était fini, nous allions refaire ce voyage en sens inverse, mais peut-être ne refait-on jamais ce voyage en sens inverse, peut-être n'efface-t-on jamais ce voyage. Je ne sais pas, vraiment. Pendant seize ans j'ai essayé d'oublier ce voyage et j'ai oublié ce voyage. Nul ne pense plus, autour de moi, que j'ai fait ce voyage. Mais en réalité, j'ai oublié ce voyage tout en sachant pertinemment qu'un jour j'aurais à refaire ce voyage. Dans cinq ans, dans dix ans, dans quinze ans, il faudrait que je refasse ce voyage. Tout était là, à m'attendre, et la vallée de la Moselle, et le gars de Semur, et ce village dans la plaine de Thuringe, et cette fontaine sur la place de ce village où je vais encore aller boire une longue gorgée d'eau fraîche.

Peut-être ne refait-on pas ce voyage en sens inverse.

« Qu'est-ce que tu regardes, maintenant ? » dit le gars de Semur. « On n'y voit plus. »

Il a raison, le soir est tombé.

« Je ne regardais plus », je reconnais.

« C'est mauvais, ça », dit-il sèchement.

« Mauvais comment ? »

« Mauvais de toutes les façons », m'explique-t-il. « Regarder sans rien voir, rêver les yeux ouverts. Mauvais, tout ça. »

« Se souvenir ? »

« Aussi, se souvenir aussi. Ça distrait ».

« Ça distrait de quoi ? », je lui demande.

Ce gars de Semur n'a pas fini de m'étonner.

« Ça distrait du voyage, ça ramollit. Il faut durer ».

« Durer, pour quoi ? Pour raconter ce voyage ? »

« Mais non, pour en revenir », dit-il, sévèrement. « Ce serait trop con, tu ne trouves pas ? »

« Il y en a toujours quelques-uns qui reviennent, pour raconter aux autres. »

« J'en suis », dit-il. « Mais pas pour raconter, ça je m'en fous. Pour revenir, simplement ».

« Tu ne penses pas qu'il faudra raconter ? »

« Mais il n'y a rien à dire, vieux. Cent vingt types

dans un wagon. Des jours et des nuits de voyage. Des vieux qui déraillent et se mettent à hurler. Je me demande ce qu'il y a à raconter ».

« Et au bout du voyage? », je lui demande.

Sa respiration devient saccadée.

« Au bout? »

Il ne veut pas y penser, c'est sûr. Il se concentre sur les questions de ce voyage. Il ne veut pas penser au terme de ce voyage.

« Chaque chose en son temps », dit-il finalement. « Tu ne trouves pas? »

« Mais si, tu as raison. C'était une question comme ça. »

« Tu poses tout le temps des questions comme ça », dit-il.

« C'est mon métier », je lui réponds.

Il ne dit plus rien. Il doit se demander quel genre de métier cela peut être, qui oblige à tout le temps poser des questions comme ça.

« Vous êtes des cons », dit la voix derrière nous. « De sales petits cons. »

On ne lui répond pas, on a l'habitude.

« Vous êtes là, comme des cons, comme de sales petits emmerdeurs, vous n'arrêtez pas de raconter vos vies. Emmerdeurs, sales emmerdeurs. »

« J'entends des voix », dit le gars de Semur.

« Des voix d'outre-tombe », je précise.

Nous rions tous les deux.

« Vous pouvez rire, abrutis, vous pouvez vous saoûler de paroles. Mais votre compte est bon. Raconter ce voyage? Laissez-moi rigoler, conards. Vous allez crever comme des rats. »

« Alors, nos voix aussi sont des voix d'outre-tombe », dit le gars de Semur.

Nous rions de plus belle.

La voix écume de rage et nous insulte, avec méthode.

« Quand je pense », reprend la voix, « que c'est à cause de types comme vous que je suis là. De vrais salauds. Ça joue aux petits soldats et c'est nous qui payons les pots cassés. Sales petits cons. »

C'est comme ça presque depuis le début du voyage. D'après ce que nous avons compris, le type avait une ferme dans une région de maquis. Il a été pris dans une rafle générale, quand les Allemands ont voulu nettoyer la région.

« Ça court les nuits sur les routes », dit la voix haineuse, « ça fait sauter les trains, ça fout la pagaille partout, et c'est nous qui payons les pots cassés ».

« Il commence à me courir, ce type », dit le gars de Semur.

« M'accuser, moi, d'avoir fourni des vivres à ces salauds. Mais plutôt me faire couper la main droite, plutôt les dénoncer, voilà ce que j'aurais dû faire. »

« Ça va comme ça », dit le gars de Semur. « Fais gaffe de ne pas te faire couper autre chose, les couilles en rondelles tu vas te faire couper, oui. »

La voix hurle d'épouvante, de rage, d'incompréhension.

« Ferme-la », dit le gars de Semur, « ferme-la ou je cogne ».

La voix s'arrête.

Au début du voyage, le gars de Semur lui a déjà tapé dessus, un bon coup. Le type sait à quoi s'en tenir. C'était quelques heures après le départ. On commençait à peine à réaliser que ce n'était pas une mauvaise blague, qu'il faudrait vraiment rester des jours et des nuits comme ça, serrés, écrasés, étouffés.

Des vieux commençaient déjà à s'affoler à haute voix. Ils ne tiendraient jamais le coup, ils allaient mourir. Ils avaient raison d'ailleurs, certains allaient bel et bien mourir. Et puis il y a des voix qui ont demandé le silence. Un jeune type — on supposait qu'il faisait partie d'un groupe — a dit que les copains et lui, ils avaient réussi à camoufler des outils. Ils allaient scier le plancher du wagon, dès que la nuit tomberait. Ceux qui voudraient tenter l'évasion avec eux n'auraient qu'à se rapprocher du trou et se laisser tomber bien à plat sur la voie, quand le train roulerait doucement.

Le gars de Semur m'a regardé et je lui ai fait oui de la tête. On en était, de ce coup-là, bien sûr qu'on en était.

« Ils sont costauds, les copains », a murmuré le gars de Semur. « Avoir passé les outils à travers toutes les fouilles, ça c'est costaud. »

Dans le silence qui s'est établi, le gars de Semur a parlé.

« D'accord, vieux, allez-y. Quand vous serez prêts, prévenez, qu'on se rapproche. »

Mais cette phrase-là a soulevé un concert de protestations. La discussion a duré une éternité. Tout le monde s'y est mis. Les Allemands allaient découvrir la tentative d'évasion et prendre des représailles. Et puis, même si l'évasion réussissait, tout le monde ne pourrait pas partir ; ceux qui resteraient seraient fusillés. Il y a eu des voix tremblantes qui ont supplié, pour l'amour du ciel, qu'on ne tente pas une folie pareille. Il y a eu des voix tremblantes qui nous ont parlé de leurs enfants, leurs beaux enfants qui allaient devenir orphelins. Mais on a fait taire ces voix-là. C'est dans cette discussion que le gars de

pour chaque person qui fouilli un autre personne va mourir

Semur a cogné le type. Il n'y allait pas par quatre chemins, celui-là. Il a dit carrément que si on commençait à scier le plancher du wagon, il appellerait les sentinelles allemandes, au prochain arrêt du train. Nous avons regardé le type, qui se trouvait juste derrière nous. Il avait une tête à ça, pas de doute. Alors le gars de Semur lui a cogné dessus. Il y a eu des remous, nous avons basculé les uns sur les autres. Le type s'est effondré, le visage en sang. Quand il s'est mis debout, il nous a vus autour de lui, une demi-douzaine de visages hostiles.

« T'as compris », lui a dit un homme aux cheveux déjà gris, « t'as compris, mon salaud? Un geste suspect, un seul, et je jure que je t'étrangle ».

Le type a compris. Il a compris qu'il n'aurait jamais le temps d'appeler une sentinelle allemande, qu'il serait mort avant. Il a essuyé le sang sur son visage et son visage était celui de la haine.

« Ferme-la », lui dit maintenant le gars de Semur, « ferme-la ou je cogne ».

Trois jours ont passé, depuis cette discussion, trois jours et trois nuits. L'évasion a raté. Des gars d'un autre wagon nous ont devancés, au cours de la première nuit. Le train s'est arrêté dans un grincement. On a entendu des rafales de mitrailleuse et des projecteurs ont balayé le paysage. Puis les S. S. sont venus fouiller, wagon par wagon. Ils nous ont fait descendre à coups de matraque, ils ont fouillé les types un à un et ils nous ont fait enlever nos chaussures. On a été obligés de jeter les outils, avant qu'ils n'arrivent à notre wagon.

« Dis donc », dit le gars de Semur, dans un souffle.

Je ne lui connaissais pas cette voix-là, basse et rauque.

« Oui ? », je demande.

« Dis donc, faudra qu'on essaye de rester ensemble. Tu trouves pas ? »

« On est ensemble. »

« Je veux dire, après, quand on sera arrivés. Faudra qu'on reste ensemble quand on sera arrivés. »

« On essaiera. »

« A deux, ce sera plus facile, tu ne trouves pas ? On tiendra mieux », dit le gars de Semur.

« Faudra qu'on soit plus nombreux à être ensemble. A deux seulement, ça va pas être commode. »

« Peut-être », dit le gars. « Mais c'est déjà quelque chose. »

C'est la nuit qui tombe, la quatrième nuit, qui réveille les fantômes. Dans la cohue noire du wagon, les types se retrouvent tout seuls, avec leur soif, leur fatigue, leur angoisse. Il s'est fait un silence lourd, coupé par quelques plaintes indistinctes, continues. Toutes les nuits, c'est pareil. Plus tard, il y aura les cris affolés de ceux qui croient mourir. Des cris de cauchemar, qu'il faut arrêter par n'importe quel moyen. On secoue le type qui hurle, convulsé, bouche ouverte. On le gifle, au besoin. Mais à présent c'est encore l'heure trouble des souvenirs. Ils remontent à la gorge, ils étouffent, ils ramollissent les volontés. Je chasse les souvenirs. J'ai vingt ans, j'emmerde les souvenirs. Il y a une autre méthode, aussi. C'est de profiter de ce voyage pour faire le tri. Faire le bilan des choses qui pèseront leur poids dans ta vie, de celles qui ne pèsent rien. Le train siffle dans la vallée de la Moselle, et je laisse s'envoler les souvenirs légers. J'ai vingt ans, je peux encore me permettre ce luxe de choisir dans ma vie les choses que je vais assumer et celles que je rejette.

J'ai vingt ans, je peux gommer de ma vie des tas de choses. Dans quinze ans, quand j'écrirai ce voyage, ce sera impossible. Tout au moins, j'imagine. Les choses n'auront pas seulement un poids dans ta vie, mais aussi leur poids en elles-mêmes. Dans quinze ans, les souvenirs seront moins légers. Le poids de ta vie sera peut-être quelque chose d'irrémédiable. Mais cette nuit, dans la vallée de la Moselle, avec le train qui siffle et mon copain de Semur, j'ai vingt ans et j'emmerde le passé.

Ce qui pèse le plus dans ta vie, ce sont des êtres que tu as connus. J'ai compris ça cette nuit-là, une fois pour toutes. J'ai laissé s'envoler des choses légères, des souvenirs plaisants, mais qui ne concernaient que moi. Une pinède bleue, dans Guadarrama. Un rayon de soleil, dans la rue d'Ulm. Des choses légères, pleines d'un bonheur fugace mais absolu. Je dis bien, absolu. Mais ce qui pèse le plus dans ta vie, ce sont certains êtres que tu as connus. Les livres, la musique, c'est différent. Pour enrichissants qu'ils soient, ils ne sont jamais que des moyens d'accéder aux êtres. Ceci, quand ils sont vrais, bien entendu. Les autres sont desséchants, en fin de compte. Cette nuit-là, j'ai tiré cette question au clair, une fois pour toutes. Le gars de Semur a sombré dans un sommeil peuplé de rêves. Il murmurait des choses que je n'ai pas l'intention de répéter. C'est facile de dormir debout, quand on est pris dans la gangue haletante de tous ces corps serrés dans le wagon. Le gars de Semur dormait debout, dans un murmure angoissé. Je sentais simplement une plus grande lourdeur de son corps.

Rue Blainville, dans ma chambre, nous nous mettions à trois, des heures durant, pour faire le tri aussi parmi toutes les choses de ce monde. La chambre de la rue Blainville pèsera dans ma vie, je le savais déjà, mais cette nuit-là dans la vallée de la Moselle, je l'ai inscrite définitivement dans l'avoir du bilan. Nous avons fait un long détour pour arriver aux choses réelles, à travers des monceaux de livres et d'idées reçues. Systématiquement, avec férocité, nous avons passé au crible les idées reçues. C'est après ces longues séances que nous descendions vers le « Coq d'Or », les jours de liesse, pour dévorer le chou farci. Le chou farci craquait sous les dents longues de nos dix-huit ans. Aux tables voisines, des colonels russes-blancs et des boutiquiers de Smolensk pâlissaient de rage, en lisant les journaux lors de la grande retraite de l'Armée Rouge, l'été 41. Pour nous, les choses, à ce moment-là, étaient déjà très claires, dans la pratique. Mais nos idées retardaient. Il nous fallait mettre nos idées en accord avec la pratique de l'été 41, dont la clarté était aveuglante. C'est une affaire compliquée, malgré les apparences, que de mettre en accord des idées retardataires avec une pratique en plein développement. J'avais connu Michel en hypokhâgne, et nous étions restés amis, quand j'avais lâché, ne pouvant plus concilier la vie studieuse, abstraite et totémique de l'hypokhâgne avec la nécessité de gagner ma vie. Et Michel avait amené Freiberg, dont le père avait été ami de sa famille, un universitaire allemand, israélite, dont la trace s'était perdue lors de l'exode de 1940. Nous l'appelions von Freiberg zu Freiberg, car son prénom était Hans, et que nous pensions au dialogue de Giraudoux. Nous vivions toutes choses à travers les livres. Plus tard, pour l'embêter, quand il avait tendance parfois à trop couper les cheveux en quatre, je jetais à la tête de Hans le qualificatif d'austro-marxiste. Mais c'était une injure gratuite, rien que pour le faire marcher. En fait, c'est à lui que nous devons, en grande partie, de ne pas être restés à mi-chemin, dans notre remise en question du monde. Michel était obsédé par le kantisme, comme un papillon de nuit par la lueur des lampes. A cette époque c'était normal, parmi les universitaires français. Encore aujourd'hui, d'ailleurs, regardez autour de vous, parlez avec les gens. Vous rencontrerez des tas d'épiciers, de garçons coiffeurs, d'inconnus dans les trains, qui sont kantiens sans le savoir. Mais Hans nous a précipités tête baissée dans la lecture de Hegel. Ensuite, il sortait triomphalement de sa serviette des livres dont nous n'avions jamais entendu parler, et qu'il tirait je ne sais d'où. Nous avons lu Masaryk, Adler, Korsch, Labriola. *Geschichte und Klassenbewusstsein* nous a pris plus de temps, à cause de Michel, qui n'en voulait plus démordre, malgré les observations de Hans, mettant en relief toute la métaphysique sous-jacente aux thèses de Lukacs. Je me souviens d'une collection d'exemplaires de la revue *Unter dem Banner des Marxismus*, que nous avons disséquées comme des scoliastes appliqués. Les choses sérieuses ont commencé avec les tomes de la Marx-Engels-Gesamte-Ausgabe, que Hans avait aussi, bien entendu, et qu'il appelait la « Mega ». Arrivés là, la pratique a repris ses droits, d'un seul coup. Nous ne nous sommes plus retrouvés rue Blainville. Nous voyagions dans les trains de nuit pour aller faire dérailler les trains de nuit. Nous allions dans la forêt d'Othe, au maquis du « Tabou », les parachutes s'ouvraient soyeusement dans les nuits de Bourgogne. Nos idées étant à peu près mises au clair, elles se nourrissaient de la pratique quotidienne.

Le train siffle et le gars de Semur sursaute.
« Quoi? », dit-il.
« Rien », je fais.
« Tu n'as rien dit? »
« Rien du tout », je réponds.
« J'avais cru », dit-il.
Je l'entends soupirer.
« Quelle heure peut-il être? » demande-t-il.
« Je n'en ai pas la moindre idée. »
« La nuit », dit-il, et puis il s'arrête.
« Quoi, la nuit? » je lui demande.
« La nuit, elle va être longue encore? »
« Elle vient de commencer. »
« C'est vrai », dit-il, « elle vient de commencer. »
Quelqu'un hurle tout à coup dans le fond du wagon, à l'opposé de nous.
« Ça y est », dit le gars.
Le hurlement s'arrête net. Un cauchemar, qui sait, on a dû secouer le type. Quand c'est autre chose, la peur, cela dure plus longtemps. Quand c'est l'angoisse qui hurle, quand c'est l'idée qu'on va mourir qui hurle, cela dure plus longtemps.
« C'est quoi, la Nuit des Bulgares? » demande le gars.
« Comment? »
« Eh bien, la Nuit des Bulgares », insiste-t-il.
Je ne croyais pas avoir parlé de la Nuit des Bulgares. Je croyais y avoir pensé ; à un moment donné. Peut-être en ai-je parlé? Ou bien, je pense tout haut. J'ai dû penser tout haut, dans la nuit étouffante du wagon.

« Alors ? » dit le gars.

« Eh bien, c'est une histoire. »

« Une histoire comment ? »

« Au fond », je dis, « c'est une histoire idiote. Une histoire comme ça, sans queue ni tête ».

« Tu ne veux pas me dire ? »

« Mais si. Mais il n'y a pas grand-chose à dire, à vrai dire. C'est une histoire dans un train. »

« Ça tombe bien », dit le gars de Semur.

« C'est pour ça que j'y ai pensé. A cause du train. »

« Et après ? »

Il y tient. Pas tant que ça, au fond. Il tient à la conversation.

« C'est confus. Il y a des gens dans un comparti-ment, et puis, sans rime ni raison, il y en a certains qui commencent à balancer tous les autres par la fenêtre. »

« Mince alors, ce serait chouette ici », dit le gars de Semur.

« D'en balancer quelques-uns par la fenêtre, ou d'être balancés ? » je lui demande.

« D'être balancés, bien sûr. On roulerait sur la neige du talus, ce serait chouette. »

« Eh bien, tu vois, l'histoire, c'est quelque chose comme ça. »

« Mais, pourquoi des Bulgares ? » demande-t-il aussitôt.

« Pourquoi pas des Bulgares ? »

« Tu ne vas pas me dire », dit le gars de Semur, « que c'est courant, les Bulgares ».

« Pour les Bulgares », je dis, « ça doit être assez courant ».

« Ne pinaille pas, » répond-il. « Tu ne vas pas me

dire que les Bulgares sont plus courants que les Bourguignons. »

« Nom de dieu, en Bulgarie, ils sont bien plus courants que les Bourguignons. »

« Qui te parle de la Bulgarie ? » dit le gars de Semur.

« Puisqu'il est question de Bulgares », j'argumente, « la Bulgarie est quelque chose qui vient à l'esprit ».

« N'essaye pas de m'entortiller », dit le gars. « La Bulgarie, c'est très bien. Mais des Bulgares, ce n'est pas courant dans les histoires. »

« Dans les histoires bulgares, sûrement. »

« C'est une histoire bulgare ? » demande-t-il.

« Eh bien non », dois-je reconnaître.

« Tu vois », dit-il, péremptoire. « Ce n'est pas une histoire bulgare et c'est quand même plein de Bulgares. Avoue que c'est louche. »

« Tu aurais préféré des Bourguignons ? »

« Et alors ! »

« Tu penses que c'est courant, les Bourguignons ? »

« Ça, je m'en fous. Mais ce serait chouette. Un plein wagon de Bourguignons et ils commencent à se balancer par la fenêtre. »

« Tu crois que c'est courant, des Bourguignons qui se balancent par la fenêtre du compartiment ? » je lui demande.

« Là, tu charries », dit le gars de Semur. « Ton histoire vaseuse pleine de Bulgares de mes deux, j'ai rien dit contre. Si on se mettait à discuter, ta Nuit des Bulgares, c'est rien du tout. »

Il a raison. Je n'ai rien à dire.

Il y a les lumières d'une ville, tout à coup. Le train longe des maisons entourées de jardins. Des immeubles plus importants, ensuite. Il y a de plus en plus de lumières et le train entre en gare. Je regarde l'horloge de la gare et il est 9 heures. Le gars de Semur regarde l'horloge de la gare et il voit l'heure, forcément.

« Merde », dit-il, « il n'est que 9 heures ».

Le train s'arrête. Il flotte dans la gare une lumière bleuâtre, chichement distribuée. Je me souviens de cette lumière blafarde, aujourd'hui oubliée. C'est une lumière d'attente que je connais depuis 1936, pourtant. C'est une lumière pour attendre le moment où il faudra éteindre toutes les lumières. C'est une lumière d'avant l'alerte, mais où l'alerte s'inscrit déjà.

Plus tard, je me souviens — c'est-à-dire, je ne m'en souviens pas encore, quand nous sommes dans cette gare allemande, puisque ce n'est pas encore arrivé — plus tard, j'ai vu comment il fallait éteindre non seulement les lumières. Il fallait aussi éteindre le crématoire. Les haut-parleurs diffusaient les communiqués signalant les mouvements des escadres aériennes, au-dessus de l'Allemagne. Quand c'était le soir et que les bombardiers arrivaient à une certaine proximité, les lumières du camp s'éteignaient. La marge de sécurité n'était pas grande, il fallait que les usines tournent, que les arrêts fussent le plus brefs possible. Mais à un certain moment, les lumières s'éteignaient quand même. Nous restions dans le noir, à entendre le noir bourdonner d'avions plus ou moins lointains. Mais il arrivait que le crématoire soit surchargé de travail. Le rythme des morts est une chose difficile à synchroniser avec la capacité d'un crématoire, pour bien équipé qu'il soit. Dans ces cas-là, le crématoire fonctionnant à plein rendement, de hautes flammes orangées dépassaient largement de la cheminée du crématoire,

41

dans un tourbillon de fumée dense. S'en aller en fumée, c'est une expression des camps. Fais gaffe au Scharführer, c'est une brute, si tu as une histoire avec lui, tu es bon pour t'en aller en fumée. Tel copain, au « revier » en était à son dernier souffle, il allait s'en aller en fumée. Les flammes dépassaient donc la cheminée carrée du crématoire. Alors on entendait la voix du S. S. de service, dans la tour de contrôle. On entendait sa voix dans les haut-parleurs : « Krematorium, ausmachen », disait-il plusieurs fois. Crématoire, éteignez, crématoire, éteignez. Ça les embêtait sûrement d'avoir à éteindre les feux du crématoire, ça diminuait le rendement. Le S. S. n'était pas content, il aboyait : « Krematorium, ausmachen » d'une voix morne et hargneuse. Nous étions assis dans le noir et nous entendions le haut-parleur : Krematorium, ausmachen « Tiens », disait un gars, « les flammes doivent dépasser ». Et puis nous continuions à attendre dans le noir.

Mais c'est plus tard, tout ça. Plus tard dans ce voyage. Pour l'instant nous sommes dans cette gare allemande et j'ignore encore l'existence et les inconvénients des crématoires, les soirs d'alerte.

Il y a des gens sur le quai de la gare et le nom de la gare écrit sur un panneau : « TRIER. »

« C'est quoi, cette ville ? » dit le gars de Semur.

« Tu vois, c'est Trèves », je lui réponds.

Oh! dieu de feu de dieu de nom de dieu de bon dieu de merde. J'ai dit Trèves, à voix haute et je réalise tout à coup. C'est bien un nom de dieu de connerie que ce soit Trèves, justement. Étais-je aveugle, seigneur, aveugle et sourd, bouché, abruti, pour n'avoir pas compris plus tôt d'où je connais la vallée de la Moselle ?

« Tu as l'air tout épaté que ce soit Trèves », dit le gars de Semur.

« Merde, oui », je lui réponds, « j'en suis épaté ».

« Pourquoi? Tu connaissais? »

« Non, c'est-à-dire, je n'y ai jamais été. »

« Tu connais quelqu'un d'ici, alors? » il me demande.

« C'est ça, voilà, c'est ça. »

« Tu connais des boches, maintenant? » dit le gars, soupçonneux.

Je connais des boches, maintenant, c'est bien simple. Les vignerons de la Moselle, les bûcherons de la Moselle, la loi sur les vols de bois dans la Moselle. C'était dans la « Mega », bien sûr. C'est une amie d'enfance, bon dieu, cette bon dieu de Moselle.

« Des boches? Jamais entendu parler, qu'est-ce que tu veux dire par là? »

« Oh tu charries », dit le gars. « Tu charries drôlement, cette fois. »

Il n'a pas l'air content.

Il y a des gens sur le quai de la gare et ils viennent de réaliser que nous ne sommes pas un train comme n'importe lequel. Ils ont dû voir les silhouettes s'agiter derrière les ouvertures grillagées. Ils se parlent entre eux, ils montrent le train du doigt, ils sont tout excités. Il y a un gosse d'une dizaine d'années, avec ses parents, juste en face de notre wagon. Il écoute ses parents, il regarde vers nous, il hoche la tête. Puis le voilà qui part en courant. Puis le voilà qui revient en courant, avec une grosse pierre à la main. Puis le voilà qui s'approche de nous et qui lance la pierre, de toutes ses forces, contre l'ouverture près de laquelle nous nous tenons. Nous nous jetons vivement en arrière, la pierre ricoche sur les fils de fer barbelés, elle a failli atteindre au visage le gars de Semur.

« Alors », dit celui-ci, « les boches, tu connais toujours pas ? »

Je ne dis rien. Je pense que c'est une drôle de saloperie, que ça se passe à Trèves, justement. Il y a pourtant des tas d'autres villes allemandes, sur ce trajet.

« Les boches, et les enfants de boches, tu connais maintenant ? »

Il jubile, le gars de Semur.

« Aucun rapport. »

A ce moment le train démarre de nouveau. Sur le quai de la gare il reste un gosse d'une dizaine d'années qui nous tend le poing et hurle des insanités.

« Des boches, je te dis », me dit-il. « C'est pas sorcier, des boches, tout simplement. »

Le train reprend de la vitesse et s'enfonce dans la nuit.

« Mets-toi à sa place. »

J'essaye de lui expliquer.

« A la place de qui ? »

« De ce gamin », je lui réponds.

« Foutre non », qu'il me fait. « Qu'il garde sa place, ce fils de putain de boches. »

Je ne dis rien, je n'ai pas envie de discuter. Je me demande combien d'Allemands il va falloir tuer encore pour que cet enfant allemand ait une chance de ne pas devenir un boche. Il n'y est pour rien, ce gosse, et il y est pour tout, cependant. Ce n'est pas lui qui s'est fait petit nazi et c'est pourtant un petit nazi. Peut-être n'a-t-il plus aucune chance de ne plus être petit nazi, de ne pas grandir jusqu'à

devenir un grand nazi. A cette échelle individuelle,
les questions n'ont pas d'intérêt. C'est dérisoire,
que ce gosse cesse d'être petit nazi ou assume sa
condition de petit nazi. En attendant, la seule chose
à faire pour que ce gosse ait une chance de ne plus
être petit nazi, c'est de détruire l'armée allemande.
C'est d'exterminer encore des quantités d'hommes
allemands, pour qu'ils puissent cesser d'être nazis,
ou boches, selon le vocabulaire primitif et mystifié
du gars de Semur. Dans un sens, c'est ça qu'il veut
dire, le gars de Semur, dans son langage primitif.
Mais dans un autre sens, son langage et les idées
confuses que son langage charrie bouchent définitivement l'horizon de cette question. Car si ce sont
des boches, vraiment, ils ne seront jamais rien d'autre. Leur être boche est comme une essence que
nulle action humaine ne pourra atteindre. Si ce sont
des boches ils seront boches, à tout jamais. Ce n'est
plus une donnée sociale, comme d'être allemands
et nazis. C'est une réalité qui flotte au-dessus de
l'histoire, contre laquelle on ne peut rien. Détruire
l'armée allemande ne servirait de rien, les survivants seraient des boches, toujours. Il n'y aurait
plus qu'à aller se coucher et attendre que le temps
passe. Mais ce ne sont pas des boches, bien sûr.
Ce sont des Allemands, et souvent des nazis. Un peu
trop souvent, pour le moment. Leur être allemand
et trop souvent nazi fait partie d'une structure
historique donnée et c'est la pratique humaine
qui résout ces questions-là.

Mais je ne dis rien au gars de Semur, je n'ai pas
envie de discuter.

Je ne connais pas beaucoup d'Allemands. Je
connais Hans. Avec lui, pas de problème. Je me

demande ce que fait Hans, à présent, et je ne sais pas qu'il va mourir. Il va mourir une de ces nuits, dans la forêt au-dessus de Châtillon. Je connais les types de la Gestapo, aussi, le Dr Haas et ses dents en or. Mais quelle différence y a-t-il entre ces types de la Gestapo et les flics de Vichy qui t'ont interrogé toute une nuit à la préfecture de Paris, cette fois où tu as eu cette veine insensée ? Tu n'en croyais pas tes yeux, au matin, dans les rues grises de Paris. Il n'y a aucune différence. Ils sont aussi boches les uns que les autres c'est-à-dire, ils ne sont pas plus boches les uns que les autres. Il peut y avoir des différences de degré, de méthode, de technique ; aucune différence de nature. Il faudra que j'explique tout ça au gars de Semur, bien sûr qu'il comprendra.

Je connais aussi ce soldat allemand d'Auxerre, cette sentinelle allemande dans la prison d'Auxerre. Les courettes où l'on se promenait, dans la prison d'Auxerre, formaient comme une sorte de demi-cercle. On arrivait par le chemin de ronde, le gardien ouvrait la porte de la courette, la refermait à clef derrière vous. On restait là, dans le soleil de l'automne, avec ce bruit de serrure derrière vous. De chaque côté, des murs lisses, assez hauts pour vous empêcher de communiquer avec les courettes mitoyennes. L'espace délimité par ces murs allait se rétrécissant. Au bout il n'y avait pas plus d'un mètre et demi entre les deux murs, et cet espace-là était fermé par une grille. Ainsi, la sentinelle pouvait voir tout ce qui se passait dans les courettes, en faisant quelques pas d'un côté et de l'autre.

Cette sentinelle-là, j'avais remarqué qu'elle était souvent de garde. C'était un homme d'une quarantaine d'années, en apparence. Il s'arrêtait devant ma courette et regardait. Je marchais de long en large, à moins que ce ne fût de large en long, ou bien je m'appuyais au mur ensoleillé de la courette. J'étais encore au secret, j'étais seul dans ma courette. Un jour, à l'heure de la promenade, je me souviens qu'il faisait beau, il y a tout à coup un des sous-officiers de la Feldgendarmerie de Joigny qui s'arrête devant la grille de ma courette. A côté de lui se tenait Vacheron. Par des messages arrivés jusqu'à moi, j'avais appris que Vacheron s'était mis à table. Mais il avait été pris à Laroche-Migennes, sur une autre affaire, les jours passaient et il semblait bien qu'il n'avait pas parlé de moi. Le type de la Feld et Vacheron sont devant la grille de ma courette, et la sentinelle, cette sentinelle dont je parle, précisément, un peu en retrait. Alors, Vacheron fait un signe de la tête dans ma direction.

« Ach so! », dit le type de la Feld. Et il m'appelle à la grille.

« Vous vous connaissez? », demande-t-il, en nous montrant alternativement du doigt.

Vacheron est à cinquante centimètres de moi. Il est décharné, barbu, son visage est marqué. Il se tient courbé en deux, comme un vieillard et son regard vacille.

« Non », je fais, « jamais vu ».

« Mais si », dit Vacheron, dans un murmure.

« Ach so », dit le type de la Feld. Et il rigole.

« Jamais vu », je répète.

Vacheron me regarde et hausse les épaules.

« Et Jacques? » dit le type de la Feld. « Vous connaissez Jacques? »

Jacques, c'est Michel, bien entendu. Je pense à la rue Blainville. C'est de la préhistoire, maintenant. L'es-

47

prit absolu, la réification, l'objectivation, la dialecti-
que du maître et de l'esclave, ce n'est plus que la
préhistoire de cette histoire réelle où il y a la Gestapo,
les questions du type de la Feld, et Vacheron.
Vacheron aussi fait partie de l'histoire réelle. Tant
pis pour moi.

« Quel Jacques ? » je demande. « Jacques comment ? »

« Jacques Mercier », dit le type de la Feld.

Je secoue la tête.

« Connais pas », je dis.

« Mais si », dit Vacheron, dans un murmure.

Il me regarde et fait un geste résigné.

« Il n'y a rien à faire », dit-il encore.

« Va te faire foutre », lui dis-je entre les dents.

Un peu se sang monte à son visage marqué par
la Feld.

« Comment, comment ? » crie le type de la Fe d,
qui ne saisit pas toutes les nuances de la conversation.

« Rien. »

« Rien », dit Vacheron.

« Vous ne connaissez personne ? » demande encore
le type de la Feld.

« Personne », je fais.

Il me regarde et me soupèse du regard. Il sourit.
Il a l'air du monsieur qui pense qu'il pourrait me
faire connaître des tas de gens.

« Qui s'occupe de vous ? » me demande-t-il maintenant.

« Le Dʳ Haas. »

« Ach so », dit-il.

Il a l'air de trouver que si le Dʳ Haas s'occupe
de moi, on doit bien s'occuper de moi, efficacement.

Tout compte fait, ce n'est qu'un petit sous-officier de la Feldgendarmerie et le Dr Haas est le chef de la Gestapo pour toute la région. Il a le respect des hiérarchies, ce type de la Feld, il n'a pas à s'inquiéter d'un client du Dr Haas. Nous sommes là, de chaque côté de cette grille, sous le soleil de l'automne, et nous avons l'air de parler d'une maladie que j'aurais et que le Dr Haas est en train de traiter efficacement.

« Ach so », dit le type de la Feld.

Et il emmène Vacheron.

Je reste debout devant la grille, je me demande si cela va se passer comme ça, simplement, s'il n'y aura pas un retour de flamme. La sentinelle allemande est de l'autre côté de la grille, debout devant ma courette, et me regarde. Je ne l'avais pas vu s'approcher.

C'est un soldat d'une quarantaine d'années, au visage lourd, ou bien peut-être est-ce le casque qui alourdit son visage. Car il a une expression ouverte, un regard net.

« Verstehen Sie Deutsch¹ ? » me demande-t-il.

Je lui dis oui, que je comprends l'allemand.

« Ich möchte Ihnen eine Frage stellen² », dit le soldat.

Il est poli, cet homme, il voudrait me poser une question et il me demande l'autorisation de me poser cette question.

« Bitte schön³ », je lui dis.

Il est à un mètre de la grille, il fait un geste pour remettre en place la courroie de son fusil, qui avait

1. Vous comprenez l'allemand ?
2. Je voudrais vous poser une question.
3. Je vous en prie.

glissé sur son épaule. Il fait un soleil tiède, nous sommes polis comme tout. Je pense vaguement que le type de la Feld est peut-être en train de téléphoner à la Gestapo, par acquit de conscience. Peut-être vont-ils faire le rapprochement et trouver qu'en effet c'est étrange que je n'aie rien dit de Jacques, que je ne connaisse pas Vacheron. Peut-être que tout va recommencer.

Je pense à cela vaguement, de toute façon je n'y puis rien. D'ailleurs, c'est clair, il ne faut jamais se poser que les problèmes qu'on peut résoudre. Dans la vie privée aussi, il faut appliquer ce principe, nous en étions arrivés à cette conclusion, au « Coq d'Or », précisément.

Ce soldat allemand désire me poser une question, je lui dis « je vous en prie », nous sommes polis, c'est bien gentil tout ça.

Warum sind Sie verhaftet [1] ? » demande le soldat.

C'est une question pertinente, il faut dire. C'est la question qui, en ce moment précis, va plus loin que toute autre question possible. Pourquoi suis-je arrêté? Répondre à cette question, c'est non seulement dire qui je suis, mais aussi qui sont tous ceux qui en ce moment se font arrêter. C'est une question qui va nous projeter du particulier au général, avec une grande facilité. Pourquoi suis-je arrêté, c'est-à-dire, pourquoi sommes-nous arrêtés, pourquoi arrête-t-on, en général? Quelle est la ressemblance entre tous ces gens dissemblables qui se font arrêter? Quelle est l'essence historique commune de tous ces êtres dissemblables, inessentiels la plupart des fois, qui se font arrêter? Mais

1. Pourquoi êtes-vous arrêté?

50

l'auteur: ça deperde sur la systèmo politique personne qui l'arete

l'allemage: ça deperde sur l'action de person qui a été arrêté c'est une question qui va encore plus loin. En questionnant le pourquoi de mon arrestation, on tombera sur l'autre face de la question. Car je suis arrêté, parce qu'on m'a arrêté, parce qu'il y a ceux qui arrêtent et ceux qui sont arrêtés. En me demandant : pourquoi êtes-vous arrêté ? il demande aussi, et dans le même mouvement : pourquoi suis-je là à vous garder ? Pourquoi ai-je l'ordre de tirer sur vous, si vous tentez de fuir ? Qui suis-je, en somme ? Voilà ce qu'il demande, ce soldat allemand. C'est une question qui va loin, autrement dit.

Mais je ne lui réponds pas tout ça, bien sûr. Ce serait con comme la mort. J'essaie de lui expliquer brièvement les raisons qui m'ont conduit ici.

« Alors, vous êtes un terroriste ? », me dit-il.

« Si vous voulez », je lui réponds, « mais ça n'avance à rien ».

« Quoi donc ? »

« Ce mot-là, ça ne vous avance à rien. »

« J'essaie de comprendre », dit le soldat.

Hans serait content de voir les progrès que je fais dans sa langue natale. Il adorait sa langue natale, Hans von Freiberg zu Freiberg. Non seulement je lis Hegel, mais je parle avec un soldat allemand, dans la prison d'Auxerre. C'est beaucoup plus difficile de parler avec un soldat allemand que de lire Hegel. Surtout de lui parler de choses toutes simples, de la vie et de la mort, de pour quoi vivre et pour quoi mourir.

J'essaie de lui expliquer pourquoi ce mot de terroriste ne l'avancera pas.

« Récapitulons, voulez-vous ? » me dit-il quand j'ai fini.

« Récapitulons. »

« Ce que vous voulez, c'est défendre votre pays. »

« Mais non », je lui réponds, « ce n'est pas mon pays. »

« Comment? » s'écrie-t-il « qu'est-ce qui n'est pas votre pays? »

« Mais la France », je lui réponds, « la France n'est pas mon pays. »

« Ça n'a pas de sens », dit-il, déconcerté.

« Mais si. Je défends mon pays, de toute façon, en défendant la France, qui n'est pas mon pays. »

« Quel est votre pays? » demande-t-il.

« L'Espagne », je lui réponds.

« Mais l'Espagne est notre amie », dit-il.

« Vous croyez? Avant de faire cette guerre-ci, vous avez fait la guerre à l'Espagne, qui n'était pas votre amie. »

« Je n'ai fait aucune guerre », dit le soldat sourdement.

« Vous trouvez? », je lui demande.

« Je veux dire, je n'ai voulu aucune guerre », précise-t-il.

« Vous trouvez? », je lui répète.

« J'en suis convaincu », dit-il, solennel.

Il remonte de nouveau la courroie de son fusil, qui avait glissé.

« Moi pas du tout. »

« Mais pourquoi? »

Il a l'air blessé que je mette en doute sa bonne foi.

« Parce que vous êtes là, avec votre fusil. C'est vous qui l'avez voulu. »

« Où pourrais-je être? », fait-il, sourdement.

« Vous pourriez être fusillé, vous pourriez être dans un camp de concentration, vous pourriez être déserteur. »

52

*le soldat traite les prisonniers, pas comme
les objets, et comme les hommes*

« Ce n'est pas si facile », dit-il.

« Bien sûr. C'est facile de se faire interroger par vos compatriotes de la Feldgendarmerie ou de la Gestapo ? »

Il a un geste brusque de dénégation.

« Je n'ai rien à faire avec la Gestapo. »

« Vous avez tout à faire », je lui réponds.

« Rien, je vous assure », il a l'air affolé.

« Tout à faire, jusqu'à preuve du contraire », j'insiste.

« Je ne voudrais pas, de toute mon âme je ne voudrais pas. »

Il a l'air sincère, il a l'air désespéré à l'idée que je le range avec ses compatriotes de la Feld ou de la Gestapo.

« Alors », je lui demande, « pourquoi êtes-vous ici ? »

« C'est la question », dit-il.

Mais on entend la clef dans la serrure de la courette, le gardien vient me chercher.

C'est la question en effet, *das ist die Frage.* On y arrive forcément, même à travers ce dialogue de sourds, décousu, que nous venons d'avoir. Et c'est moi qui dois poser la question : *warum sind Sie hier?* parce que ma situation est privilégiée. Par rapport à ce soldat allemand, et en ce qui concerne les questions à poser, ma situation est privilégiée. Parce que l'essence historique commune à nous tous qui nous faisons arrêter en cette année 43, c'est la liberté. C'est dans la mesure où nous participons de cette liberté que nous nous ressemblons, que nous nous identifions, nous qui pouvons être si dissemblables. C'est dans la mesure où nous participons de cette liberté que nous nous faisons arrêter. C'est

*l'auteur est libre d'être résistant, mais
le soldat ne pas libre*

donc notre liberté qu'il faut interroger, et non pas notre état d'arrestation, notre condition de prisonniers. Bien entendu, je laisse de côté ceux qui font du marché noir et les mercenaires des réseaux. Ceux-là, leur essence commune est l'argent, non pas la liberté. Bien entendu, je ne prétends pas que nous participions tous également de cette liberté qui nous est commune. Certains, et ils sont sûrement nombreux, participent accidentellement de cette liberté qui nous est commune. Ils ont peut-être choisi librement le maquis, la vie clandestine, mais depuis lors vivent sur la lancée de cet acte libre. Ils ont librement assumé la nécessité de prendre le maquis, mais depuis lors ils vivent dans la routine que ce libre choix a déclenchée. Ils ne vivent pas leur liberté, ils s'y encroûtent. Mais il ne s'agit pas d'entrer dans les détails et les détours de ce problème, maintenant. Je ne parle de la liberté que d'une façon occasionnelle, c'est le récit de ce voyage qui est mon propos. Je tenais simplement à dire qu'à cette question du soldat allemand d'Auxerre : *warum sind Sie verhaftet?* il n'y a qu'une réponse possible. Je suis emprisonné parce que je suis un homme libre, parce que je me suis vu dans la nécessité d'exercer ma liberté, que j'ai assumé cette nécessité. De la même façon, à la question que j'ai posée à la sentinelle allemande, ce jour d'octobre : *warum sind Sie hier?* et qui se trouve être une question bien plus grave, à cette question il n'y a non plus qu'une réponse possible. Il est ici parce qu'il n'est pas ailleurs, parce qu'il n'a pas senti la nécessité d'être ailleurs. Parce qu'il n'est pas libre.

Il est revenu à la grille, le lendemain, ce soldat allemand, et cette conversation décousue, où surgissaient spontanément les questions les plus graves, a continué.

Je pense à ce soldat d'Auxerre à cause de ce gamin sur le quai de la gare de Trèves. Le gamin, lui, n'est pas dans le coup. Il y est simplement dans la mesure où on l'y a mis, ce n'est pas lui qui s'y est mis. Il nous a jeté la pierre, parce qu'il fallait que cette société aliénée et mystifiée dans laquelle il grandit, nous jette la pierre. Car nous sommes la négation possible de cette société, de cet ensemble historique d'exploitation qu'est aujourd'hui la nation allemande. Nous tous, en bloc, qui allons survivre dans un pourcentage relativement dérisoire, nous sommes la négation possible de cette société. Malheur sur nous, honte sur nous, pierre contre nous. Ce sont des choses auxquelles il ne faut pas attacher trop d'importance. Bien sûr, c'était désagréable, ce gosse brandissant la pierre et criant des insanités sur le quai de la gare. « *Schufte* », criait-il, « *Bandieten* ». Mais il n'y faut pas attacher trop d'importance.

Ce soldat allemand d'Auxerre auquel je pense, c'est autre chose, par contre. Car il voudrait comprendre. Il est né à Hambourg, il y a vécu et travaillé, il y a souvent été chômeur. Et ça fait des années qu'il ne comprend pas pourquoi il est ce qu'il est. Il y a des tas d'aimables philosophes qui nous racontent que la vie n'est pas un « être » mais un « faire », et plus précisément un « se faire ». Ils sont contents de leur formule, ils en ont plein la bouche, ils ont inventé le fil à couper le beurre. Demandez donc à ce soldat allemand que j'ai connu à la prison d'Auxerre. Demandez donc à cet Allemand de Hambourg qui a été chômeur pratiquement tout le temps jusqu'au jour où le nazisme a remis en marche la machine industrielle de la remilitarisation. Demandez-lui pourquoi il n'a pas « fait » sa vie, pourquoi il n'a pu que subir l' « être » de sa vie. Sa vie a toujours été un « fait » accablant, un « être » qui lui était extérieur, dont il n'a jamais pu prendre possession, pour le rendre habitable.

Nous sommes chacun d'un côté de la grille et je n'ai jamais si bien compris pourquoi je combattais. Il fallait rendre habitable l'être de cet homme, ou plutôt, l'être des hommes comme cet homme, car pour cet homme, sûrement, c'était déjà trop tard. Il fallait rendre habitable l'être des fils de cet homme, peut-être avaient-ils l'âge de ce gamin de Trèves qui nous a jeté la pierre. Ce n'était pas plus compliqué que ça, c'est-à-dire, c'est bien la chose la plus compliquée du monde. Car il s'agit tout simplement d'instaurer la société sans classes. Il n'en était pas question, pour ce soldat allemand, il allait vivre et mourir dans son être inhabitable, opaque et incompréhensible pour son propre regard.

Mais le train roule et s'éloigne de Trèves et il faut poursuivre ce voyage, et je m'éloigne du souvenir de ce soldat allemand dans la prison d'Auxerre. Je me suis dit souvent que j'écrirais cette histoire de la prison d'Auxerre. Une histoire toute simple : l'heure de la promenade, le soleil d'octobre et cette longue conversation, par petites bribes, chacun de notre côté de la grille. C'est-à-dire, moi j'étais de mon côté, lui ne savait pas de quel côté il était. Et voici que l'occasion se présente d'écrire cette histoire et je ne peux pas écrire cette histoire. Ce n'est pas le moment, c'est ce voyage qui est mon propos et je m'en suis déjà suffisamment écarté.

J'ai vu ce soldat jusqu'à la fin novembre. Moins

souvent, car il pleuvait tout le temps et la promenade était supprimée. Je l'ai vu fin novembre, avant son départ. Je n'étais plus au secret, je partageais ma cellule et ma courette avec Ramaillet et ce jeune maquisard de la forêt d'Othe, qui avait été dans le groupe des frères Hortieux. La veille, précisément, ils avaient fusillé l'aîné des frères Hortieux. A l'heure calme d'avant la promenade, « La Souris » était monté chercher l'aîné des frères Hortieux, qui était déjà depuis six jours dans la cellule des condamnés à mort. Nous avions vu monter « La Souris » à travers la porte entrouverte. Il y avait à Auxerre un système de serrures très pratique, qui permettait de verrouiller les portes tout en les laissant entrouvertes. L'hiver, ils faisaient comme ça, sauf les jours de punition collective, pour qu'un peu de chaleur entre dans les cellules, montant du gros poêle installé au rez-de-chaussée. Nous avions vu arriver « La Souris », l'escalier était en face de notre porte, et ses pas se sont perdus vers la gauche, sur la galerie. Au fond de cette galerie se trouvent les cellules des condamnés à mort. Ramaillet était sur son lit de camp. Comme d'habitude, il lisait une de ses brochures de théosophie. Le gars de la forêt d'Othe est venu se coller à la porte entrouverte, près de moi. Si je me souviens bien — je ne crois pas que ce souvenir ait été reconstruit dans ma mémoire —, il s'est fait un grand silence dans la prison. A l'étage supérieur, celui des femmes, il s'est fait un grand silence. Sur la galerie d'en face, aussi. Même ce type qui chantait tout le temps « mon bel amant, mon amour de Saint Jean », s'est tu aussi. Depuis des jours nous attendions qu'on vienne chercher l'aîné des frères Hortieux, et voici « La Souris » qui se dirige vers les

57

cellules des condamnés à mort. On entend le bruit du
verrou. L'aîné des frères Hortieux doit être assis sur
son lit de camp, menottes aux mains, sans souliers,
et il entend le bruit du verrou qu'on tire, à cette
heure inhabituelle. De toute façon, l'heure de mourir est toujours inhabituelle. Il n'y a plus que le
silence, pendant quelques minutes, et puis l'on
entend le bruit des bottes de « La Souris », qui se
rapproche de nouveau. L'aîné des frères Hortieux
s'arrête devant notre cellule, il marche sur ses chaus-
settes de laine, il a les menottes aux mains, les
yeux brillants. « C'est fini, les gars », nous dit-il, par
la porte entrouverte. Nous tendons les mains à travers
la fente de la porte, nous serrons les mains serrées
dans les menottes de l'aîné des frères Hortieux.
« Salut, les gars », nous dit-il. Nous ne disons rien,
nous serrons ses mains, nous n'avons rien à dire.
« La Souris » se tient derrière l'aîné des frères Hortieux,
il détourne la tête. Il ne sait que faire, il agite les
clefs, il détourne la tête. Il a une bonne tête de bon
père de famille, son uniforme gris-vert est fripé, il
détourne sa tête de bon père de famille. On ne peut
rien dire à un camarade qui va mourir, on serre ses
mains, on n'a rien à lui dire. « René, où es-tu, René ? »
C'est la voix de Philippe Hortieux, le plus jeune des
frères Hortieux, qui est au secret dans une cellule de
la galerie d'en face. Et alors René Hortieux se retourne
et crie, lui aussi. « C'est fini, Philippe, je m'en
vais, Philippe, c'est fini ! » Philippe est le plus
jeune des frères Hortieux, il a pu s'échapper quand
les S. S. et la Feld sont tombés, à l'aube, sur le
groupe Hortieux, dans la forêt d'Othe. Ils ont été
livrés par un mouchard, les S. S. et la Feld leur sont
tombés dessus à l'improviste, ils ont à peine pu

58

esquisser une résistance désespérée. Mais Philippe Hortieux a échappé à l'encerclement. Il s'est caché dans la forêt durant deux jours. Ensuite, il en est sorti, a descendu un motocycliste allemand arrêté sur le bord de la route, et il a filé vers Montbard, sur la machine du mort. Pendant quinze jours, aux endroits les plus imprévus, la moto de Philippe Hortieux apparaissait subitement. Pendant quinze jours, les Allemands ont mené la chasse, à travers toute la région. Philippe Hortieux avait un « Smith and Wesson », au long canon peint en rouge, on nous en avait parachuté pas mal récemment. Il avait une mitraillette « sten » et des grenades et du plastic, dans un sac de montagne. Il aurait pu s'en tirer, Philippe Hortieux, il connaissait des points d'appui, il aurait pu quitter la région. Mais il est resté. Caché la nuit de ferme en ferme, il a fait la guerre pour son compte, pendant quinze jours. Il est allé, sous le soleil de septembre, en plein midi, dans le village de ce mouchard qui les avait livrés. Il a rangé sa moto sur la place de l'église et il est parti à sa recherche, mitraillette au poing. Toutes les fenêtres des maisons se sont ouvertes, les portes se sont ouvertes, et Philippe Hortieux a marché vers le bistrot du village au milieu d'une haie de regards secs et brûlants. Le forgeron est sorti de sa forge, la bouchère est sortie de sa boucherie, le garde champêtre s'est arrêté sur le bord du trottoir. Les paysans ont enlevé la cigarette de leur bouche, les femmes tenaient leurs enfants par la main. Personne ne disait rien, c'est-à-dire un homme a dit simplement : « Les Allemands sont sur la route de Villeneuve. » Et Philippe Hortieux a souri et il a continué à marcher vers le bistrot du village. Il souriait, il savait bien qu'il allait faire une chose qu'il fallait faire, il marchait au milieu d'une haie de regards désespérés et fraternels. Les paysans savaient bien que l'hiver allait être terrible pour les gars des maquis, ils savaient bien qu'on nous avait menés en bateau, une fois de plus, avec ce débarquement toujours annoncé et toujours remis. Ils regardaient marcher Philippe Hortieux et c'étaient eux qui marchaient, mitraillette au poing, faire justice par eux-mêmes. Le mouchard a dû sentir la pesanteur de ce silence sur le village, tout à coup. Peut-être s'est-il souvenu de ce bruit de moto, entendu quelques minutes avant. Il est sorti sur le perron du bistrot, son verre de rouge à la main, il s'est mis à trembler comme une feuille, et il est mort. Alors, toutes les fenêtres se sont fermées, toutes les portes se sont fermées, le village s'est vidé de toute vie et Philippe Hortieux est parti. Pendant quinze jours, il a tiré sur les patrouilles de la Feld, surgi de n'importe où, il a attaqué à la grenade les voitures allemandes. Aujourd'hui il est au secret, dans sa cellule, le corps brisé par les matraques de la Gestapo et il crie : « René, oh René! » Et toute la prison s'est mise à crier aussi, pour dire adieu à René Hortieux. L'étage des femmes criait, les quatre galeries de résistants criaient, pour dire adieu à l'aîné des frères Hortieux. Je ne sais plus ce que nous criions, des choses dérisoires certainement, sans commune mesure avec cette mort qui s'avançait vers l'aîné des frères Hortieux : « Ne t'en fais pas, René », « Tiens le coup, René », « On les aura, René. » Et au-dessus de toutes nos voix, la voix de Philippe Hortieux qui criait sans arrêt : « René, oh René! » Je me souviens que Ramaillet a sursauté sur son lit de camp, devant ce vacarme. « Qu'est-ce qui se passe », a-t-il demandé, « qu'est-ce qui se passe ? » Nous l'avons traité de con, nous lui avons dit de s'occuper de ses oignons, à ce conard. Toute la prison criait et « La Souris » s'est affolé. Il ne voulait pas d'histoires, « La Souris », il a dit : « Los, los ! » et il a poussé René Hortieux vers l'escalier.

C'était le lendemain de ce jour-là, il faisait un soleil pâle. Au matin, le gars qui était de corvée pour la distribution du jus nous avait dit, dans un chuchotement : « René est mort comme un homme. » Bien sûr, c'était une expresssion approximative, dénuée de sens, d'une certaine façon. Car la mort n'est personnelle que pour l'homme, c'est-à-dire dans la mesure où elle est acceptée, assumée, elle peut l'être pour lui, et pour lui seulement. C'était une expression approximative mais elle disait bien ce qu'elle voulait dire. Elle disait bien que René Hortieux avait saisi à pleines mains cette possibilité de mourir debout, d'affronter cette mort et de la faire sienne. Je n'avais pas vu mourir René Hortieux, mais ce n'était pas difficile d'imaginer comment il était mort. En cette année 43, il y avait une assez grande expérience de la mort des hommes pour imaginer la mort de René Hortieux.

Plus tard, j'ai vu mourir des hommes, dans des circonstances analogues. Nous étions rassemblés, trente mille hommes immobiles, sur la grande place d'appel, et les S. S. avaient dressé au milieu l'échafaudage des pendaisons. Il était interdit de bouger la tête, il était interdit de baisser les yeux. Il fallait que nous voyions ce camarade mourir. Nous le voyions mourir. Même si on avait pu bouger la tête, même si on avait pu baisser les yeux, nous aurions regardé mourir ce camarade. Nous aurions fixé sur lui nos regards dévastès, nous l'aurions accompagné par le regard sur la potence. Nous étions trente mille, rangés impeccablement, les S. S. aiment l'ordre et la symétrie. Le haut-parleur hurlait : « *Das Ganze, Stand!* » et l'on entendait trente mille paires de talons claquer dans un garde-à-vous impeccable. Les S. S. aiment les garde-à-vous impeccables. Le haut-parleur hurlait : « *Mützen ab!* », et trente mille bérets de forçats étaient saisis par trente mille mains droites et claqués contre trente mille jambes droites, dans un parfait mouvement d'ensemble. Les S. S. adorent les parfaits mouvements d'ensemble. C'est alors qu'on amenait le camarade, mains liées dans le dos, et qu'on le faisait monter sur la potence. Les S. S. aiment bien l'ordre et la symétrie et les beaux mouvements d'ensemble d'une foule maîtrisée, mais ce sont de pauvres types. Ils se disent qu'ils vont faire un exemple, mais ils ne savent pas à quel point c'est vrai, à quel point la mort de ce camarade est exemplaire. Nous regardions monter sur la plate-forme ce Russe de vingt ans, condamné à la pendaison pour sabotage à la « Mibau », où l'on fabriquait les pièces les plus délicates des V-1. Les prisonniers de guerre soviétiques étaient fixés dans un garde-à-vous douloureux, à force d'immobilité massive, épaule, contre épaule, à force de regards impénétrables. Nous regardons monter sur la plate-forme ce Russe de vingt ans et les S. S. s'imaginent que nous allons subir sa mort, la sentir fondre sur nous comme une menace ou un avertissement. Mais cette mort, nous sommes en train de l'accepter pour nous-mêmes, le cas échéant, nous sommes en train de la choisir pour nous-mêmes. Nous sommes en train de mourir de la mort de ce copain, et par là même nous la nions, nous

62

l'annulons, nous faisons de la mort de ce copain le sens de notre vie. Un projet de vivre parfaitement valable, le seul valable en ce moment précis. Mais les S. S. sont de pauvres types et ne comprennent jamais ces choses-là.

Il faisait donc un soleil pâle, c'était la fin novembre, et j'étais seul dans la courette des promenades avec Ramaillet. Le gars de la forêt d'Othe avait été conduit à l'interrogatoire. Nous avions eu le matin même une engueulade avec Ramaillet et Ramaillet se tenait à l'écart.

La sentinelle allemande était debout contre la grille et je me suis rapproché de la grille.

« Hier après-midi? », je lui demande.

Son visage se crispe et il me regarde fixement.

« Quoi donc? », dit-il.

« Étiez-vous de service, hier après-midi? », je lui précise.

Il secoue la tête.

« Non », dit-il, « je n'en ai pas fait partie ».

Nous nous regardons sans rien dire.

« Mais, si on vous avait désigné? »

Il ne répond pas. Que peut-il répondre?

« Si on vous avait désigné », j'insiste, « vous auriez fait partie du peloton d'exécution? »

Il a un regard de bête traquée et il avale sa salive avec effort.

« Vous auriez fusillé mon camarade. »

Il ne dit rien. Que pourrait-il dire? Il baisse la tête, il bouge les pieds sur le sol humide, il me regarde.

« Je m'en vais demain », dit-il.

« Où ça? » je lui demande.

« Sur le front russe », dit-il.

« Ah ! », je dis. « Vous allez voir ce que c'est qu'une vraie guerre. »

Il me regarde, il hoche la tête, et il parle d'une voix blanche.

« Vous souhaitez ma mort », dit-il d'une voix blanche.

Je souhaite sa mort ? *Wünsche Ich seinen Tod ?* Je ne pensais pas souhaiter sa mort. Mais il a raison, d'une certaine manière je souhaite sa mort.

Dans la mesure où il continue d'être soldat allemand, je souhaite sa mort. Dans la mesure où il persévère dans son être soldat allemand, je souhaite qu'il connaisse l'orage de fer et de feu, les larmes et les souffrances. Je souhaite de voir répandu son sang de soldat allemand de l'armée nazie, je souhaite sa mort.

« Il ne faut pas m'en vouloir. »

« Mais non », dit-il, « c'est normal ».

« Je voudrais bien pouvoir vous souhaiter autre chose », lui dis-je.

Il a un sourire accablé.

« Il est trop tard », dit-il.

« Mais pourquoi donc ? »

« Je suis tout seul », dit-il.

Je ne peux rien pour briser sa solitude. Lui seul y pourrait quelque chose, mais il n'en a pas la volonté. Il a quarante ans, une vie toute faite déjà, une femme et des enfants, personne ne peut choisir pour lui.

« Je me souviendrai de nos conversations », dit-il.

Et il sourit de nouveau.

« Je voudrais vous souhaiter tout le bonheur possible. »

Je le regarde, en lui disant cela.

« Le bonheur ? » et il hausse les épaules.

Puis il regarde autour de lui et il met la main dans une poche de sa longue capote.

« Tenez », dit-il, « en souvenir ».

Il me tend rapidement à travers la grille deux paquets de cigarettes allemandes. Je prends les cigarettes. Je les cache dans ma veste. Il s'écarte de la grille et sourit de nouveau.

« Peut-être », dit-il, « aurai-je de la chance. Peut-être que je m'en sortirai ».

Il ne pense pas seulement à vivre. Il pense à s'en sortir, réellement.

« Je le souhaite. »

« Mais non », dit-il, « vous souhaitez ma mort ».

« Je souhaite l'anéantissement de l'armée allemande. Et je souhaite que vous vous en sortiez. »

Il me regarde, il hoche la tête, il dit « merci », il tire sur la courroie de son fusil et il s'en va.

« Tu dors ? » demande le gars de Semur.

« Non », je lui réponds.

« Il fait soif », dit le gars de Semur.

« Et comment. »

« Il reste un peu de dentifrice », dit le gars de Semur.

« Allons-y. »

C'est encore un truc du gars de Semur-en-Auxois. Il a dû préparer son voyage comme on prépare une expédition polaire. Il a pensé à tout, le gars. La plupart des types avaient camouflé dans leurs poches des bouts de saucisson, du pain, des biscuits. C'était de la folie, disait le gars de Semur. Le plus grave n'allait pas être la faim, disait-il, mais bien la soif. Or, le saucisson, les biscuits secs, toutes ces nourritures solides et consistantes que les autres avaient camouflées ne feraient qu'aiguiser leur soif. On pouvait bien rester quelques jours sans manger, puisque de toute façon on allait être immobiles. C'était la soif, le plus grave. Il avait donc camouflé dans ses poches quelques petites pommes croquantes et juteuses et un tube de dentifrice. Les pommes, c'était simple, n'importe qui y aurait pensé, à partir de cette donnée initiale de la soif comme ennemie principale. Mais le dentifrice, c'était un trait de génie. On étendait sur ses lèvres une mince couche de dentifrice et quand on respirait, la bouche se remplissait d'une fraîcheur mentholée bien agréable.

Les pommes sont finies depuis longtemps, car il les a partagées avec moi. Il me tend le tube de dentifrice et j'en mets un peu sur mes lèvres desséchées. Je lui rends le tube.

Le train roule plus vite maintenant, presque aussi vite qu'un vrai train qui irait vraiment quelque part.

« Pourvu que cela dure », je dis.

« Quoi donc ? » dit le gars de Semur.

« La vitesse », je réponds.

« Merde oui », dit-il, « je commence à en avoir ma claque ».

Le train roule et le wagon est un bruissement rauque de plaintes, de cris étouffés, de conversations. Les corps entassés et ramollis par la nuit forment une gelée épaisse qui oscille brutalement à chaque tournant de la voie. Et puis, subitement, il y a de longs moments de silence pesant, comme si tout le monde sombrait ensemble dans la solitude de l'angoisse, dans un demi-sommeil de cauchemar.

« Ce con de Ramaillet », je dis, « quelle tête il aurait faite ».

« Qui c'est, Ramaillet ? » demande le gars de Semur.

Ce n'est pas que j'aie envie de parler de Ramaillet.

Ramaillet

Mais j'ai senti chez le gars de Semur un subtil changement, depuis que la nuit est tombée. Il faut lui faire la conversation, je crois bien. J'ai senti comme une fêlure dans sa voix, depuis que la nuit est tombée. La quatrième nuit de ce voyage.

« Un type qui était en taule avec moi », j'explique.

Ramaillet nous avait dit qu'il ravitaillait le maquis, mais nous le soupçonnions d'avoir tout simplement fait du marché noir. C'était un paysan des environs de Nuits-Saint-Georges et il semblait avoir une passion dévorante pour la théosophie, l'esperanto, l'homéopathie, le nudisme et les théories végétariennes. Quant à ces dernières, c'était une passion toute platonique, car son mets préféré était le poulet rôti.

« Ce salaud-là », je dis au gars de Semur, « il recevait des colis énormes et il ne voulait pas partager ».

A dire vrai, quand nous étions seuls dans la cellule, lui et moi, avant que n'arrive le gars de la forêt d'Othe, il ne refusait pas de partager. Car la question ne se posait pas. Comment aurais-je osé lui demander de me donner quoi que ce soit? Il était inconcevable que je lui pose une question pareille. Il ne refusait donc pas de partager. Tout simplement, il ne partageait pas. Nous mangions la soupe, dans nos gamelles de fonte, grasses et douteuses. Nous étions assis l'un en face de l'autre, sur les lits de fer. Nous mangions la soupe en silence. Je la faisais durer le plus longtemps possible. Je mettais dans ma bouche de toutes petites cuillerées de bouillon insipide, que je m'efforçais de savourer. Je jouais à mettre de côté, pour plus tard, les quelques débris solides qui traînaient à l'occasion dans le bouillon insipide. Mais c'était difficile de tricher, c'était difficile de faire durer la soupe. Je me racontais des histoires, pour me distraire, pour m'obliger à manger lentement. Je me récitais tout bas *Le Cimetière marin*, en essayant de ne rien oublier. Je n'y arrivais d'ailleurs pas. Entre « tout va sous terre et rentre dans le jeu » et la fin, je n'arrivais pas à combler un vide dans ma mémoire. Entre « tout va sous terre et rentre dans le jeu » et « le vent se lève, il faut tenter de vivre », il n'y avait pas moyen de combler le vide de ma mémoire. Je restais la cuiller en l'air et j'essayais de me souvenir. On se demande parfois pourquoi je commence à déclamer *Le Cimetière marin*, tout à coup, quand je suis en train de nouer ma cravate, ou de déboucher une bouteille de bière. Voilà l'explication. C'est que j'ai souvent récité *Le Cimetière marin*, dans cette cellule de la prison d'Auxerre, en face de Ramaillet. C'est bien la seule fois où *Le Cimetière marin* a servi à quelque chose. C'est bien la seule fois où cet imbécile distingué de Valéry a servi à quelque chose. Mais il était impossible de tricher. Même « L'assaut au soleil de la blancheur des corps des femmes » ne permettait pas de tricher. Il y avait toujours trop peu de soupe. Il y avait toujours un moment où la soupe était finie. Il n'y avait plus de soupe, il n'y avait jamais eu de soupe. Je regardais la gamelle vide, je raclais la gamelle vide, mais il n'y avait rien à faire. Ramaillet, lui, mangeait sa soupe tambour battant. La soupe, pour lui, ce n'était qu'une distraction. Il avait sous son lit deux grands cartons remplis de nourritures bien plus consistantes. Il mangeait sa soupe tambour battant, et ensuite il rotait. « Excuse », disait-il en portant la main à sa bouche. Et puis : « Ça fait du bien. » Tous les jours, après la soupe, il

rotait. «Excuse», disait-il, et puis, «ça fait du bien».
Tous les jours la même chose. Il fallait l'entendre
roter, dire «excuse, ça fait du bien», et rester calme.
Il fallait surtout rester calme.

« Je l'aurais étranglé », dit le gars de Semur.

« Bien sûr », je lui réponds. « Moi aussi je l'aurais
bien fait. »

« Et c'est après la soupe qu'il se tapait tout seul
la cloche? » demande le gars de Semur.

« Non, c'était la nuit. »

« Comment, la nuit? »

« Eh bien, la nuit. »

« Mais pourquoi la nuit? » demande le gars de
Semur.

« Quand il croyait que je dormais. »

« Oh merde », dit-il, « je l'aurais étranglé ».

Il fallait rester calme, il fallait surtout rester
calme, c'est une question de dignité.

Il attendait que je dorme, la nuit, pour dévorer
ses provisions. Mais je ne dormais pas, ou bien je
me réveillais, à l'entendre bouger. Je restais immobile, dans le noir, et je l'entendais manger. Je devinais sa silhouette assise sur le lit et je l'entendais
manger. Au bruit de ses mâchoires, je devinais qu'il
mangeait du poulet, j'entendais craquer les petits
os du poulet rôti à point. J'entendais craquer les
biscottes sous ses dents, mais pas de ce craquement
crissant et sablonneux de la biscotte sèche, non,
d'un craquement feutré, ouaté par la couche de
crème de gruyère que je devinais étendue sur la
biscotte. Je l'entendais manger, le cœur battant,
et je m'efforçais de rester calme. Ramaillet mangeait la nuit parce qu'il ne voulait pas céder à la
tentation de partager quoi que ce soit avec moi.

S'il avait mangé dans la journée, il aurait cédé, une fois ou l'autre. A me voir devant lui, le regardant manger, il aurait peut-être cédé à la tentation de me donner un os de poulet, un petit morceau de fromage, qui sait. Mais cela aurait créé un précédent. Cela, au fil des jours, aurait créé une habitude. Il craignait la possibilité de cette habitude, Ramaillet. Car je ne recevais aucun colis, et il n'y avait pas la moindre chance que je lui rende jamais l'os de poulet, le morceau de fromage. Alors, il mangeait la nuit.

« Je n'aurais pas pensé que c'était possible, un truc pareil », dit le gars de Semur.

« Tout est possible. »

Il grogne, dans le noir.

« Toi », me dit-il, « tu as toujours une phrase toute faite pour répondre à tout ».

« C'est pourtant vrai. »

J'ai envie de rigoler. Ce gars de Semur est prodigieusement réconfortant.

« Et alors ? Tout est possible, c'est vrai. Je n'aurais quand même pas cru que ça soit possible, un truc pareil. »

Pour le gars de Semur, il n'y a pas eu d'hésitation. Il avait six petites pommes croquantes et juteuses et il m'en a donné trois. C'est-à-dire, il a partagé en deux chacune des six petites pommes juteuses et il m'a donné six moitiés de petites pommes juteuses. C'était comme ça qu'il fallait faire, il n'y avait pas de problème pour lui. Le gars de la forêt d'Othe, c'était pareil. Quand il a reçu son premier colis, il a dit : « Bon, on va faire le partage. » Je l'ai prévenu que je n'aurais jamais rien à partager. Il m'a dit que je l'emmerdais. Je lui ai dit :

« Bon, je t'emmerde, mais je voulais te prévenir. »
Il m'a dit : « T'as assez causé comme ça, tu ne trouves pas ? Maintenant on va faire le partage. » C'est alors qu'il a proposé à Ramaillet de mettre en commun les provisions, et de faire trois parts. Mais Ramaillet a dit que ce ne serait pas juste. Il me regardait et il disait que ce n'était pas juste. Ils allaient se priver tous les deux d'un tiers de leurs colis pour que je mange autant qu'eux, moi qui n'apportais rien à la communauté. Il a dit que ce ne serait pas juste. Le gars de la forêt d'Othe a commencé à le traiter de tous les noms, comme aurait fait celui de Semur, tout comme. En fin de compte, il l'a envoyé chier avec ses gros colis de merde, et il a partagé avec moi. Le gars de Semur aurait fait pareil.

Plus tard, j'ai vu des types voler le morceau de pain noir d'un camarade. Quand la survie d'un homme tient précisément à cette mince tranche de pain noir, quand sa vie tient à ce fil noirâtre de pain humide, voler ce morceau de pain noir c'est pousser un camarade vers la mort. Voler ce morceau de pain c'est choisir la mort d'un autre homme pour assurer sa propre vie, pour la rendre plus probable, tout au moins. Et pourtant, il y avait des vols de pain. J'ai vu des types pâlir et s'effondrer en constatant qu'on leur avait volé leur morceau de pain. Et ce n'était pas seulement un tort qu'on leur causait à eux, directement. C'était un tort irréparable que l'on nous causait à tous. Car la suspicion s'installait, et la méfiance, et la haine. N'importe qui avait pu voler ce morceau de pain, nous étions tous coupables. Chaque vol de pain faisait de chacun de nous un voleur de pain en puissance.

Dans les camps, l'homme devient cet animal capable de voler le pain d'un camarade, de le pousser vers la mort. Mais dans les camps l'homme devient aussi cet être invincible capable de partager jusqu'à son dernier mégot, jusqu'à son dernier morceau de pain, jusqu'à son dernier souffle, pour soutenir les camarades. C'est-à-dire, ce n'est pas dans les camps que l'homme devient cet animal invincible. Il l'est déjà. C'est une possibilité inscrite dès toujours dans sa nature sociale. Mais les camps sont des situations limites, dans lesquelles se fait plus brutalement le clivage entre les hommes et les autres. Réellement, on n'avait pas besoin des camps pour savoir que l'homme est l'être capable du meilleur et du pire. C'en est désolant de banalité, cette constatation.

« Elle en est restée là, cette histoire? » demande le gars de Semur.

« Mais oui », je lui réponds.

« Il a continué à manger ses colis tout seul, Ramaillet? »

« Mais bien sûr. »

« Fallait l'obliger à partager », dit le gars de Semur.

« C'est facile à dire », je rétorque. « Il ne voulait pas, qu'est-ce qu'on pouvait y faire? »

« Fallait l'obliger, je te dis. Quand on est trois types dans une cellule, et que deux sont d'accord, il y a mille moyens de persuader le troisième. »

« Bien sûr. »

« Alors? Vous ne m'avez pas l'air bien dégourdis, le gars de la forêt d'Othe et toi. »

« On ne s'est jamais posé la question comme ça. »

« Et pourquoi donc? »

« Faut croire que la nourriture nous serait restée dans la gorge. »

« Quelle nourriture ? », demande le gars de Semur.

« Celle qu'on aurait obligé Ramaillet à nous donner. »

« Pas à vous donner. A partager. Il fallait l'obliger à tout partager, ses colis et ceux du gars de la forêt d'Othe. »

« On ne s'est jamais posé la question sous cet angle », je reconnais.

« Vous m'avez l'air bien délicats, tous les deux », dit le gars de Semur.

Quatre ou cinq rangées derrière nous, il se fait un brusque remous et l'on entend des cris.

« Qu'est-ce qu'il y a encore ? » dit le gars de Semur.

La masse des corps oscille d'un côté et de l'autre.

« De l'air, il lui faut de l'air », crie une voix derrière nous.

« Faites de la place, bon dieu, qu'on le rapproche de la fenêtre », crie une deuxième voix.

La masse des corps oscille, se creuse, et les bras d'ombre de cette masse d'ombres poussent vers la fenêtre et vers nous le corps inanimé d'un vieillard. Le gars de Semur le soutient d'un côté, moi de l'autre, et nous le tenons devant l'air froid de la nuit qui s'engouffre par l'ouverture.

« Bon dieu », dit le gars de Semur, « il a l'air mal parti ».

Le visage du vieillard est un masque crispé aux yeux vides. Sa bouche est tordue par la souffrance.

« Qu'est-ce qu'on peut faire ? », je demande.

Le gars de Semur regarde le visage du vieillard et il ne répond pas. Le corps du vieillard se contracte subitement. Ses yeux redeviennent vivants et il fixe la nuit devant lui.

« Vous vous rendez compte? », dit-il, d'une voix basse mais distincte. Puis son regard chavire de nouveau et son corps s'affale entre nos bras.

« Eh, vieux », dit le gars de Semur, « faut pas se laisser aller ».

Mais je crois bien qu'il s'est laissé aller à tout jamais.

« Ça doit être un truc au cœur », dit le gars de Semur.

Comme si le fait de savoir de quoi ce vieillard est mort avait quelque chose de rassurant. Car ce vieillard est mort, sans aucun doute. Il a ouvert les yeux, il a dit : « Vous vous rendez compte? » et il est mort. C'est un cadavre que nous tenons à bout de bras, devant l'air froid de la nuit qui s'engouffre par l'ouverture.

« Il est mort », je dis au gars de Semur.

Il le sait aussi bien que moi, mais il tarde à en prendre son parti.

« Ça doit être un truc au cœur », répète-t-il.

Un vieillard, c'est normal, ça a des trucs au cœur. Mais nous, nous avons vingt ans, nous n'avons pas de trucs au cœur. C'est ça qu'il veut dire, le gars de Semur. Il range la mort de ce vieillard parmi les accidents imprévisibles, mais logiques, qui arrivent aux vieillards. C'est rassurant. Cette mort devient quelque chose qui ne nous concerne pas directement. Cette mort a fait son chemin dans le corps de ce vieillard, elle était en chemin depuis longtemps. On sait ce que c'est, ces maladies de cœur, ça vous frappe n'importe où et n'importe quand. Mais nous avons vingt ans, cette mort ne nous atteint pas.

Nous tenons le cadavre sous ses bras morts et nous ne savons que faire.

« Alors? », crie une voix derrière nous, « comment qu'il se trouve? »

« Il ne se trouve plus du tout », je réponds.

« Comment? » fait la voix.

« Il est mort », dit le gars de Semur, plus précis.

Le silence s'appesantit. Les essieux grincent dans les virages, le train siffle, il marche toujours à bonne allure. Et le silence s'appesantit.

« Il devait avoir un truc au cœur », dit une autre voix, dans le silence qui s'est appesanti.

« Vous êtes sûrs qu'il est mort? », dit la première voix.

« Tout à fait », dit le gars de Semur.

« Son cœur ne bat plus? », insiste la voix.

« Mais non, vieux, mais non », répond le gars de Semur.

« Comment ça s'est passé? », demande une troisième voix.

« Comme d'habitude », je réponds.

« Qu'est-ce que ça veut dire? », fait la troisième voix, irritée.

« Ça veut dire qu'il était vivant et que tout de suite après il était mort », j'explique.

« Il devait avoir un truc au cœur », dit encore une fois la voix de tout à l'heure.

Il y a un bref silence, pendant lequel les types ruminent cette idée rassurante. C'est un accident banal, une crise cardiaque, ça aurait pu lui arriver sur les rives de la Marne, en train de pêcher à la ligne. Cette idée de crise cardiaque, c'est une idée rassurante. Sauf pour ceux qui ont des trucs au cœur, bien entendu.

« Qu'est-ce qu'on en fait ? », demande le gars de Semur.

Car nous tenons toujours le cadavre sous ses bras morts, face à l'air froid de la nuit.

« Vous êtes bien sûrs qu'il est mort ? », insiste la première voix.

« Dis donc, tu nous fatigues », dit le gars de Semur.

« Peut-être est-il simplement évanoui », dit la voix.

« Oh merde », dit le gars de Semur, « viens voir toi-même ».

Mais personne ne vient. Depuis que nous avons dit que ce vieillard est mort, la masse des corps les plus proches de nous s'est distancée. C'est à peine perceptible, mais elle s'est distancée. La masse des corps autour de nous ne colle plus à nous, ne pousse plus sur nous avec la même force. Comme l'organisme rétractile d'une huître, la masse des corps a reflué sur elle-même. Nous ne sentons plus la même poussée continue contre nos épaules et nos reins et nos jambes.

« Nous n'allons quand même pas le tenir toute la nuit, le copain et moi », dit le gars de Semur.

« Il faut demander aux Allemands d'arrêter », dit une voix nouvelle.

« Pour quoi faire ? », demande quelqu'un.

« Pour qu'ils prennent le corps et le renvoient à sa famille », dit la voix nouvelle.

Il y a un jaillissement de rires grinçants et quelque peu brutaux.

« Encore un qui a vu jouer *La Grande illusion* en couleurs », dit une voix de Paris.

« Viens », me dit le gars de Semur, « on va le poser par terre, bien allongé contre le coin de la paroi. C'est là qu'il prendra le moins de place ».

Nous commençons à bouger pour faire comme il a dit et nous bousculons forcément un peu ceux qui nous entourent.

« Eh, qu'est-ce que vous faites ? », crie une voix.

« On va l'allonger sur le plancher, contre le coin », dit le gars de Semur, « c'est là qu'il prendra le moins de place ».

« Faites gaffe », dit un type, « il y a la tinette par là ».

« Eh bien, poussez-la, cette tinette », dit le gars de Semur.

« Ah non », dit quelqu'un d'autre, « vous n'allez pas me coller la tinette sous le nez. »

« Oh ça va », crie un troisième, rageur. « Jusqu'à présent, c'est moi qui l'ai eue, votre merde, sous le nez ».

« La tienne aussi », dit un autre, rigolard.

« Moi, je me retiens », dit celui d'avant.

« C'est mauvais pour la santé », dit le rigolard.

« Vous les fermez, vos grandes gueules », dit le gars de Semur. « Poussez cette bon dieu de tinette, qu'on allonge ce gars. »

« On ne poussera pas cette tinette », dit le gars de tout à l'heure.

« Et comment qu'on va la pousser », crie celui qui a eu jusqu'à présent la tinette sous le nez.

On entend le bruit de la tinette qui racle le bois du plancher. On entend des jurons, des cris confus. Puis, le vacarme métallique du couvercle de la tinette qui a dû dégringoler.

« Ah les salauds ! », crie une autre voix.

« Qu'est-ce qui se passe ? »

« Ils l'ont renversée, cette tinette, à force de faire les cons », explique quelqu'un.

77

« Mais non », dit celui qui prétend avoir eu la tinette sous le nez jusqu'à présent, « c'est juste une giclée. »

« Je l'ai eue sur les pieds, ta giclée », dit celui d'avant.

« Tu te laveras les pieds en arrivant », dit le rigolard de tout à l'heure.

« Tu te crois drôle? » dit celui qui a eu la giclée sur les pieds.

« Mais oui, je suis un marrant », dit l'autre, placide.

On entend des rires, des plaisanteries douteuses et des protestations étouffées. Mais la tinette, plus ou moins renversée, a été déplacée et nous pouvons allonger le corps du vieillard.

« Ne l'allonge pas sur le dos », dit le gars de Semur, « il prendrait trop de place ».

Nous coinçons le cadavre contre la paroi du wagon, bien allongé sur le côté. Il est d'ailleurs tout maigre, ce cadavre, il ne prendra pas trop de place.

Nous nous redressons, le gars de Semur et moi, et le silence retombe sur nous.

Il avait dit : « Vous vous rendez compte? » et il était mort. De quoi voulait-il qu'on se rende compte? Il aurait eu du mal à préciser, certainement. Il voulait dire : « Vous vous rendez compte, quelle vie cette vie. Vous vous rendez compte, quel monde ce monde. » Mais oui, je me rends compte. Je ne fais que ça, me rendre compte et en rendre compte. C'est bien ce que je souhaite. J'ai souvent rencontré, au cours de ces années, ce même regard d'étonnement absolu qu'a eu ce vieillard qui allait mourir, juste avant de mourir. J'avoue, d'ailleurs, n'avoir jamais bien compris pourquoi tant de types s'étonnaient tellement. Peut-être parce que j'ai une plus longue habitude de la mort sur les routes, des foules en marche sur les routes, avec la mort aux trousses. Peut-être que je n'arrive pas à m'étonner parce que je ne vois que ça, depuis juillet 1936. Ils m'énervent, souvent, tous ces étonnés. Ils reviennent de l'interrogatoire, éberlués. « Vous vous rendez compte, ils m'ont tabassé. — Mais que voulez-vous qu'ils fassent, nom de dieu ? Vous ne saviez donc pas que ce sont des nazis ? » Ils hochaient la tête, ils ne savaient pas très bien ce qui leur arrivait. « Mais bon dieu, vous ne saviez pas à qui nous avons affaire ? » Ils m'énervent souvent, ces éberlués. Peut-être parce que j'ai vu les avions de chasse italiens et allemands survoler les routes à basse altitude et mitrailler la foule, bien tranquillement, sur les routes de mon pays. A moi cette charrette avec la femme en noir et le bébé qui pleure. A moi ce bourricot et la grand-mère sur le bourricot. A toi cette fiancée de neige et de feu qui marche comme une princesse sur la route brûlante. Peut-être qu'ils m'énervent, tous ces étonnés, à cause des villages en marche sur les routes de mon pays, fuyant ces mêmes S. S., ou leurs semblables, leurs frères. Ainsi, à cette question : « Vous vous rendez compte ? » j'ai une réponse toute faite, comme dirait le gars de Semur. Mais oui, je me rends compte, je ne fais que ça. Je me rends compte et j'essaie d'en rendre compte, tel est mon propos.

On était sorti de la grande salle où il avait fallu se déshabiller. Il faisait une chaleur d'étuve, on avait la gorge sèche, on trébuchait de fatigue. On avait couru dans un couloir et nos pieds nus claquaient sur le ciment. Après, il y avait une nouvelle salle, plus petite, où les types allaient s'entasser au fur et à mesure de leur arrivée. Au bout de la salle, il y avait une rangée de dix ou douze types en blouse blanche, avec des tondeuses électriques dont les longs fils pendaient du plafond. Ils étaient assis sur des tabourets, ils avaient l'air de s'ennuyer prodigieusement et ils nous tondaient, partout où il y a des poils. Les types attendaient leur tour, serrés les uns contre les autres, ne sachant que faire de leurs mains nues sur leurs corps nus. Les tondeurs travaillaient vite, on voyait bien qu'ils en avaient une sacrée habitude. Ils tondaient leurs types partout en un tour de main et au suivant de ces messieurs. Poussé et tiraillé d'un côté et de l'autre par les remous de la foule, je me suis finalement trouvé sur la première rangée, juste devant les tondeurs. L'épaule et la hanche gauches me faisaient mal, des coups de crosse de tout à l'heure. A côté de moi il y avait deux petits vieux, assez difformes. Ils avaient justement ce regard exorbité par l'étonnement. Ils regardaient ce cirque avec des yeux exorbités par l'étonnement. Leur tour est arrivé et ils ont commencé à pousser des petits cris, quand la tondeuse s'est mise à attaquer leurs parties sensibles. Ils se sont regardés et ce n'était plus seulement de l'étonnement, c'était une sainte indignation. « Vous vous rendez compte, monsieur le Ministre, mais vous vous rendez compte? » a dit l'un d'eux. « C'est incroyable, monsieur le Sénateur, po-si-ti-ve-ment incroyable », lui a répondu l'autre. Il a dit positivement, comme cela, en détachant chaque syllabe. Ils avaient l'accent belge, ils étaient grotesques, ils étaient misérables. J'aurais aimé entendre les réflexions du gars de Semur. Mais le gars de Semur était mort, il était resté dans le wagon. Je n'entendrais plus les réflexions du gars de Semur.

« Elle n'en finira pas, cette nuit », dit le gars de Semur.

C'est la quatrième nuit, n'oubliez pas, la quatrième nuit de ce voyage. Cette sensation revient, que peut-être sommes-nous immobiles. Peut-être est-ce la nuit qui bouge, le monde qui se déploie, autour de notre immobilité haletante. Cette sensation d'irréalité grandit, elle envahit comme une gangrène mon corps brisé par la fatigue. Autrefois, la faim et le froid y aidant, j'arrivais facilement à provoquer en moi cet état d'irréalisation. Je descendais jusqu'au boulevard Saint-Michel, jusqu'à cette boulangerie au coin de la rue de L'École de Médecine où ils vendaient des boulettes de sarrasin J'en achetais quatre, c'était mon repas de midi. La faim et le froid y aidant, c'était un jeu d'enfant que de pousser mon cerveau brûlant jusqu'aux limites mêmes de l'hallucination. Un jeu d'enfant qui ne menait à rien, bien entendu. Aujourd'hui c'est différent. Ce n'est pas moi qui provoque cette sensation d'irréalité, elle est inscrite dans les événements extérieurs. Elle est inscrite dans les événements de ce voyage. Heureusement qu'il y a eu cet intermède de la Moselle, cette douce, ombreuse et tendre, enneigée et brûlante certitude de la Moselle. C'est là que je me suis retrouvé, que je suis redevenu ce que je suis, ce que l'homme est, un être naturel, le résultat d'une longue histoire réelle de solidarité et de violences, d'échecs et de victoires humaines. Les circonstances ne s'étant pas encore reproduites, je n'ai jamais plus retrouvé l'intensité de ce moment, cette joie tranquille et sauvage de la vallée de la Moselle, cet orgueil humain devant ce paysage des hommes. Le souvenir m'en envahit parfois, devant la ligne pure et brisée d'un paysage urbain, devant un ciel gris sur une plaine grise. Mais pourtant, cette sensation d'irréalité, au cours de la quatrième nuit de ce voyage, n'a pas atteint l'intensité de celle que j'ai éprouvée lors du retour de ce voyage. Les mois de prison, certainement, avaient créé une sorte d'accoutumance. L'irréel et l'absurde devenaient familiers. Pour survivre, il faut que l'organisme colle à la réalité, et la réalité était précisément ce monde absolument pas naturel de la prison et de la mort. Mais le vrai choc s'est produit au retour de ce voyage.

Les deux automobiles se sont arrêtées devant nous et il en est descendu ces filles invraisemblables. C'était le 13 avril, le surlendemain de la fin des camps. Le bois de hêtres bruissait dans le souffle du printemps. Les Américains nous avaient désarmés, c'était la première chose dont ils s'étaient occupés, il faut dire. Ces quelques centaines de squelettes en armes, des Russes et des Allemands, des Espagnols et des Français, des Tchèques et des Polonais, sur les routes autour de Weimar, on aurait dit qu'ils en avaient une sainte frousse. Mais nous occupions quand même les casernes S. S., les dépôts de la division « Totenkopf », dont il fallait faire l'inventaire. Devant chacun des bâtiments il y avait un piquet de garde, sans armes. J'étais devant le bâtiment des officiers S. S. et les copains fumaient et chantaient. Nous n'avions plus d'armes, mais nous vivions encore sur la lancée de cette allégresse de l'avant-veille, quand nous marchions vers Weimar, en tiraillant sur les groupes de S. S. isolés dans le bois. J'étais devant le bâtiment des officiers S. S. et ces deux automobiles se sont arrêtées devant nous et il en est descendu ces filles invraisemblables. Elles avaient un uniforme bleu, bien coupé, avec un écusson qui disait « Mission France ». Elles avaient des cheveux, du rouge à lèvres, des bas de soie. Elles avaient des jambes dans les bas de soie, des lèvres vivantes sous le rouge à lèvres, des visages vivants sous les cheveux, sous leurs vrais cheveux. Elles riaient, elles jacassaient, c'était une vraie partie de campagne. Les copains se sont tout à coup souvenus qu'ils étaient des hommes et ils se sont mis à tourner autour de ces filles. Elles minaudaient, elles jacassaient, elles étaient mûres pour une bonne paire de claques. Mais elles voulaient visiter le camp, ces petites, on leur avait dit que c'était horrible, absolument épouvantable. Elles voulaient connaître cette horreur. J'ai abusé de mon autorité pour laisser les copains sur place, devant le bâtiment des officiers S. S. et j'ai conduit les toutes belles vers l'entrée du camp.

La grande place d'appel était déserte, sous le soleil du printemps, et je me suis arrêté, le cœur battant. Je ne l'avais jamais encore vue vide, il faut dire, je ne l'avais même jamais vue réellement. Ce qu'on appelle voir, je ne l'avais pas encore vue vraiment. D'une des baraques d'en face jaillissait doucement, dans le lointain, un air de musique lente joué sur un accordéon. Il y avait cet air d'accordéon, infiniment fragile, il y avait les grands arbres, au-delà des barbelés, il y avait le vent dans les hêtres, et le soleil d'avril au-dessus du vent et des hêtres. Je voyais ce paysage, qui avait été le décor de ma vie, deux ans durant, et je le voyais pour la première fois. Je le voyais de l'extérieur, comme si ce paysage qui avait été ma vie, jusqu'à avant-hier, se trouvait de l'autre côté du miroir, à présent. Il n'y avait que cet air d'accordéon pour relier ma vie d'autrefois, ma vie de deux ans jusqu'à avant-hier, à ma vie d'aujourd'hui. Cet air d'accordéon joué par un Russe dans cette baraque d'en face, car seul un Russe peut tirer d'un accordéon cette musique fragile et puissante, ce frémissement des bouleaux dans le vent et des blés sur la plaine sans fin. Cet air d'accordéon, c'était le lien avec ma vie de ces deux dernières années, c'était comme un adieu à cette vie, comme un adieu à tous les copains qui étaient morts au cours de cette vie-là. Je me suis arrêté sur la grande place d'appel déserte et il y avait le vent dans les hêtres et le soleil d'avril au-dessus du vent et des hêtres. Il y avait aussi, à droite, le bâtiment trapu du crématoire. A gauche, il y avait aussi le manège où l'on exécutait les offi- ciers, les commissaires et les communistes de l'Ar- mée Rouge. Hier, 12 avril, j'avais visité le manège. C'était un manège comme n'importe quel manège, les officiers S. S. y venaient faire du cheval. Ces dames des officiers S. S. y venaient faire du cheval. Mais il y avait, dans le bâtiment des vestiaires, une salle de douches spéciale. On y introduisait l'officier soviétique, on lui donnait un morceau de savon et une serviette éponge, et l'officier sovié- tique attendait que l'eau jaillisse de la douche. Mais l'eau ne jaillissait pas. A travers une meurtrière dissimulée dans un coin, un S. S. envoyait une balle dans la tête de l'officier soviétique. Le S. S. était

dans une pièce voisine, il visait posément la tête
de l'officier soviétique et il lui envoyait une balle
dans la tête. On enlevait le cadavre, on ramassait le
savon et la serviette éponge et on faisait couler
l'eau de la douche, pour effacer les traces de sang.
Quand vous aurez compris ce simulacre de la douche
et du morceau de savon, vous comprendrez la men-
talité S. S.

Mais ça n'a aucun intérêt de comprendre les S. S.
il suffit de les exterminer.

J'étais debout sur la grande place d'appel déserte,
c'était le mois d'avril, et je n'avais plus du tout
envie que ces filles aux bas de soie bien tirés, aux
jupes bleues bien plaquées sur des croupes appé-
tissantes, viennent visiter mon camp. Je n'en avais
plus du tout envie. Ce n'était pas pour elles, cet
air d'accordéon dans la tiédeur d'avril. J'avais
envie qu'elles fichent le camp, tout simplement.

« Mais ça n'a pas l'air mal du tout », a dit l'une
d'elles, à ce moment.

La cigarette que je fumais a eu un goût pénible
et je me suis dit que j'allais quand même leur montrer quelque chose.

« Suivez-moi », leur ai-je dit.

Et je me suis mis en marche vers le bâtiment du
crématoire.

« C'est la cuisine, ça ? », a demandé une autre
fille.

« Vous allez voir », j'ai répondu.

Nous marchons sur la grande place d'appel et
l'air d'accordéon s'efface dans le lointain.

« Elle n'en finira pas, cette nuit », dit le gars de
Semur.

Nous sommes debout, brisés, dans la nuit qui n'en

finira pas. Nous ne pouvons plus du tout bouger les pieds, à cause de ce vieillard qui est mort en disant : « Vous vous rendez compte? », nous ne pouvons quand même pas lui marcher dessus. Je ne dirai pas au gars de Semur que toutes les nuits finissent, car il en arrivera à me taper dessus. D'ailleurs, ce ne serait pas vrai. A ce moment précis, cette nuit, n'en finira pas. A ce moment précis, cette quatrième nuit de voyage n'en finira pas.

J'ai passé ma première nuit de voyage à reconstruire dans ma mémoire le côté de chez Swann et c'était un excellent exercice d'abstraction. Moi aussi, je me suis longtemps couché de bonne heure, il faut dire. J'ai imaginé ce bruit ferrugineux de la sonnette, dans le jardin, les soirs où Swann venait dîner. J'ai revu dans la mémoire les couleurs du vitrail, dans l'église du village. Et cette haie d'aubépines, seigneur, cette haie d'aubépines était aussi mon enfance. J'ai passé la première nuit de ce voyage à reconstruire dans ma mémoire le côté de chez Swann et à me rappeler mon enfance. Je me suis demandé s'il n'y avait rien dans mon enfance qui soit comparable à cette phrase de la sonate de Vinteuil. J'étais désolé, mais il n'y avait rien. Aujourd'hui, en forçant un peu les choses, je pense qu'il y aurait quelque chose de comparable à cette phrase de la sonate de Vinteuil, à ce déchirement de *Some of these days* pour Antoine Roquentin. Aujourd'hui il y aurait cette phrase de *Summertime*, de Sidney Bechet, tout au début de *Summertime*. Aujourd'hui, il y aurait aussi ce moment incroyable, dans cette vieille chanson de mon pays. C'est une chanson dont les paroles, à peu près traduites, diraient ceci : « Je passe des ponts, passe des rivières, toujours je te trouve lavant, les couleurs de ton visage l'eau claire va les emportant. » Et c'est après ces paroles que prend son vol la phrase musicale dont je parle, si pure, si déchirante de pureté. Mais au cours de la première nuit de voyage je n'ai rien trouvé dans ma mémoire qui puisse se comparer à la sonate de Vinteuil. Plus tard, des années plus tard, Juan m'a ramené de Paris les trois petits volumes de la *Pléiade*, reliés en peau havane. J'avais dû lui parler de ce livre. « Tu t'es ruiné », lui ai-je dit. « Ce n'est pas ça », a-t-il dit, « mais tu as des goûts décadents ». Nous avons ri ensemble, je me suis moqué de sa rigueur de géomètre. Nous avons ri et il a insisté. « Avoue, que ce sont des goûts décadents. » « Et *Sartoris* ? », lui ai-je demandé, car je savais qu'il aimait bien Faulkner. « Et *Absalom, Absalom* ? ». Nous avons tranché la question en décidant que ce n'était pas une question décisive.

« Oh vieux », dit le gars de Semur, « tu ne dors pas ? ».

« Non. »

« Je commence à en avoir ma claque », il me dit.

Moi aussi, certainement. Mon genou droit me fait de plus en plus mal et il enfle à vue d'œil. C'està-dire, je sens au toucher qu'il enfle à vue d'œil.

« Tu as une idée de ce que ça peut être, ce camp où l'on va ? », demande le gars de Semur.

« Ça alors, pas la moindre idée. »

Nous restons à essayer d'imaginer ce que ça peut être, comment cela peut être, ce camp où l'on va.

Je sais maintenant. J'y suis entré une fois, j'y ai vécu deux ans et maintenant j'y rentre de nouveau, avec ces filles invraisemblables. Je tiens à dire qu'elles ne sont invraisemblables que dans la mesure où elles sont réelles, où elles sont telles que les filles sont, en réalité. C'est leur réalité même qui me paraît invraisemblable. Mais le gars de Semur ne saura jamais comment c'est, exactement, ce camp où nous allons et que nous essayons d'imaginer, au cœur de la quatrième nuit de ce voyage.

Je fais entrer les filles par la petite porte du crématoire, celle qui mène directement à la cave. Elles viennent de comprendre que ce n'est pas la cuisine, et elles se taisent, subitement. Je leur montre les crochets où l'on pendait les copains, car la cave du crématoire servait aussi de salle de torture. Je leur montre les nerfs de bœuf et les massues, qui sont restés sur place. Je leur explique à quoi cela servait. Je leur montre les monte-charges, qui menaient les cadavres jusqu'au premier étage, directement devant les fours. Nous montons au premier étage et je leur montre les fours. Elles n'ont plus rien à dire, les petites. Elles me suivent et je leur montre la rangée des fours électriques, et les cadavres à moitié calcinés qui sont restés dans les fours. Je ne leur parle qu'à peine, je leur dis simplement : « Voici, voilà. » Il faut qu'elles voient, qu'elles essayent d'imaginer. Elles ne disent plus rien, peut-être qu'elles imaginent. Peut-être que même ces jeunes femmes de Passy et de « Mission France » sont capables d'imaginer. Je les fais sortir du crématoire, sur la cour intérieure entourée d'une haute palissade. Là, je ne leur dis rien du tout, je les laisse voir. Il y a, au milieu de la cour, un entassement de cadavres qui atteint bien quatre mètres de hauteur. Un entassement de squelettes jaunis, tordus, aux visages d'épouvante. L'accordéon, maintenant, joue un « gopak » endiablé et sa rumeur arrive jusqu'à nous. L'allégresse du « gopak » arrive jusqu'à nous, elle danse sur cet entassement de squelettes que l'on n'a pas encore eu le temps d'enterrer. On est en train de creuser la fosse, où l'on mettra de la chaux vive. Le rythme endiablé du « gopak » danse au-dessus de ces morts de la dernière journée, qui sont restés sur place, car les S. S. en fuite ont laissé s'éteindre le crématoire. Je pense que dans les baraques du Petit Camp, les vieux, les invalides, les juifs, continuent de mourir. La fin des camps, pour eux, ne sera pas la fin de la mort. Je pense, en regardant les corps décharnés, aux os saillants, aux poitrines creuses, qui s'entassent au milieu de la cour du crématoire, sur quatre mètres de hauteur, que c'étaient là mes camarades. Je pense qu'il faut avoir vécu leur mort, comme nous l'avons fait, nous qui avons survécu, pour poser sur eux ce regard pur et fraternel. J'entends dans le lointain le rythme allègre du « gopak » et je me dis que ces jeunes femmes de Passy n'ont rien à faire ici. C'était idiot d'essayer de leur expliquer. Plus tard, dans un mois, dans quinze ans, je pourrai peut-être expliquer tout ceci à n'importe qui. Mais aujourd'hui, sous le soleil d'avril, parmi les hêtres bruissants, ces morts horribles et fraternels n'ont pas besoin d'explication. Ils ont besoin d'un regard pur et fraternel. Ils ont besoin que nous vivions, tout simplement, que nous vivions de toutes nos forces.

Ces jeunes femmes de Passy, il faut les faire partir.

Je me retourne, elles sont parties. Elle ont fui ce spectacle. Je les comprends, d'ailleurs, ça ne doit pas être drôle d'arriver dans une belle voiture, avec un bel uniforme bleu qui moule les cuisses et de tomber sur ce monceau de cadavres peu présentables.

Je sors sur la place d'appel et j'allume une cigarette.

L'une des filles est restée là, à m'attendre. Une brune, avec des yeux clairs.

« Pourquoi avez-vous fait ça? », dit-elle.

« C'était idiot », je reconnais.

« Mais pourquoi? », insiste-t-elle.

« Vous vouliez visiter », je lui réponds.

« Je voudrais continuer », dit-elle.

Je la regarde. Ses yeux sont brillants, ses lèvres tremblent.

« Je n'en aurai pas la force », lui dis-je.

Elle me regarde en silence.

Nous marchons ensemble vers l'entrée du camp. Un drapeau noir flotte en berne sur la tour de contrôle.

« C'est pour les morts? », demande-t-elle, d'une voix tremblante.

« Non. C'est pour Roosevelt. Les morts, ils n'ont pas besoin de drapeau. »

« De quoi ont-ils besoin? », demande-t-elle.

« D'un regard pur et fraternel », je réponds, « et de souvenir ».

Elle me regarde et ne dit rien.

« Au revoir », dit-elle.

« Salut », je lui fais. Et je m'en vais retrouver les copains.

« Cette nuit, bon dieu, cette nuit n'en finira jamais », dit le gars de Semur.

J'ai revu cette fille brune à Eisenach, huit jours après. Huit ou quinze jours, je ne sais plus. Car ce sont huit ou quinze jours qui ont passé comme un rêve, entre la fin des camps et le début de la vie d'avant. J'étais assis sur l'herbe d'une pelouse, en dehors de l'enceinte barbelée, entre les villas des S. S. Je fumais et j'écoutais la rumeur du printemps. Je regardais les brins d'herbe, les insectes sur les brins d'herbe. Je regardais bouger les feuilles sur les arbres alentour. Tout à coup il y a Yves qui apparaît en courant. « Te voilà enfin, te voilà. » Il arrivait d'Eisenach avec une camionnette de l'armée française. Un convoi de trois camions partait demain directement sur Paris, il m'y avait réservé une place et il était venu d'Eisenach pour me chercher. Je regarde vers le camp. Je vois les tours de guet, les barbelés où le courant ne passe plus. Je vois les bâtiments de la D. A. W., le jardin zoologique où les S. S. élevaient des biches, des singes et des ours bruns.

C'est bon, je m'en vais. Je n'ai rien à aller chercher, je peux partir comme je suis. J'ai des bottes russes, à la tige souple, des pantalons de grosse toile rayée, une chemise de la Wehrmacht et un tricot en laine de bois grise, avec des parements verts au col et aux manches, et de grandes lettres peintes sur le dos en noir : KL BU. C'est bon, je m'en vais. C'est fini, je pars. Le gars de Semur est mort, je m'en vais. Les frères Hortieux sont morts, je m'en vais. J'espère que Hans et Michel sont vivants. Je ne sais pas que Hans est mort. J'espère que Julien est vivant. Je ne sais pas que Julien est mort. Je jette ma cigarette, je l'écrase du talon sur l'herbe de la pelouse, je vais partir. Ce voyage est terminé, je rentre. Je ne rentre pas chez moi, mais je me rapproche. La fin des camps c'est la fin du nazisme, c'est donc la fin du franquisme, c'est clair, voyons, il n'y a pas l'ombre d'un doute. Je vais pouvoir m'occuper de choses sérieuses, comme dirait Piotr, maintenant que la guerre est finie. Je me demande quel genre de choses sérieuses je vais faire. Piotr avait dit : « Reconstruire mon usine, aller au cinéma, faire des enfants. »

Je cours à côté d'Yves jusqu'à la camionnette et nous filons sur la route de Weimar. Nous sommes assis tous les trois sur le siège avant, le chauffeur, Yves et moi. Yves et moi, nous passons notre temps à nous montrer des choses. Regarde, la baraque de la « Politische Abteilung ». Regarde, la villa d'Ilse Koch. Regarde, la gare, c'est là qu'on est arrivés. Regarde, les bâtiments de la « Mibau ». Ensuite, il n'y a plus rien eu à regarder, que la route et les arbres, les arbres et la route, et nous chantions. C'est-à-dire, Yves chantait, avec le chauffeur. Moi, je faisais semblant, car je chante faux.

Voici le tournant où nous avons accroché, le 11 avril à midi, un groupe de S. S. qui se repliaient. Nous avancions sur l'axe de la route, les Espagnols, avec un groupe de « Panzerfaust » et un groupe d'armes automatiques. Les Français à gauche et les Russes à droite. Les S. S. avaient une chenillette et ils étaient en train de s'enfoncer en plein bois, par un chemin forestier. Nous avons entendu, sur la droite, des cris de commandement et puis, trois fois de suite, un long « hourrah ». Les Russes chargeaient les S. S. à la grenade et à l'arme blanche. Nous autres, Français et Espagnols, nous avons fait mouvement pour tourner les S. S. et les déborder. Il s'en est suivi cette chose confuse qu'est un combat. La chenillette flambait et tout à coup il s'est fait un grand silence. C'était fini, cette chose confuse qu'on appelle un combat était terminée. Nous étions en train de nous regrouper sur la route, quand j'ai vu arriver deux jeunes Français, avec un S. S. blessé. Je les connaissais un peu, c'étaient des f. t. p. de mon bloc.

« Gérard, écoute, Gérard », m'ont-ils crié en approchant. On m'appelait Gérard, en ce temps-là.

Le S. S. était blessé à l'épaule ou au bras. Il tenait son bras blessé et il avait un regard terrifié.

« On a ce prisonnier, Gérard, qu'est-ce qu'on en fait? », dit l'un des jeunes.

Je regarde le S. S., je le connais. C'est un «Block-führer » qui n'arrêtait pas de gueuler et de brimer les types sous sa férule. Je regarde les deux jeunes, j'allais leur dire : « Fusillez-le sur place, et regroupez-vous, nous continuons », mais les paroles me restent dans la gorge. Car je viens de comprendre qu'ils ne feront jamais ça. Je viens de lire dans leurs yeux qu'ils ne feront jamais ça. Ils ont vingt ans, ils sont embêtés à cause de ce prisonnier, mais ils ne vont pas le fusiller. Je sais bien que c'est une erreur, historiquement. Je sais bien que le dialogue devient possible, avec un S. S., quand le S. S. est mort. Je sais bien que le problème, c'est de changer les structures historiques qui permettent l'apparition du S. S. Mais une fois qu'il est là, il faut exterminer le S. S., chaque fois que l'occasion s'en présentera au cours du combat. Je sais bien que ces deux jeunes vont faire une sottise, mais je ne vais rien faire pour l'éviter.

« Qu'est-ce que vous en pensez? », je leur demande.

Ils se regardent, ils hochent la tête.

« Il est blessé, ce salaud », dit l'un d'eux.

« C'est ça », dit l'autre, « il est blessé, il faut d'abord le soigner ».

« Alors? », je leur demande.

Ils se regardent. Ils savent aussi qu'ils vont faire une sottise, mais ils vont la faire, cette sottise. Ils se souviennent de leurs camarades fusillés, torturés. Ils se rappellent les affiches de la Kommandantur, les exécutions d'otages. C'est peut-être dans leur région que les S. S. ont coupé à coups de hache les mains d'un enfant de trois ans, pour obliger sa mère à parler, pour l'obliger à dénoncer un groupe de maquisards. La mère a vu trancher les deux mains de son enfant et elle n'a pas parlé, elle est devenue folle. Ils savent bien qu'ils vont faire une sottise. Mais ils n'ont pas fait cette guerre, volontairement, à dix-sept ans, pour exécuter un prisonnier blessé. Ils ont fait cette guerre contre le fascisme pour qu'on n'exécute plus les prisonniers blessés. Ils savent qu'ils vont faire une sottise, mais ils vont la faire consciemment. Et je vais les laisser faire cette sottise.

« On va le conduire jusqu'au camp », dit l'un d'eux, « qu'on le soigne, ce salaud. »

Il insiste sur ce terme de « salaud » pour que je comprenne bien qu'ils ne faiblissent pas, que ce n'est pas par faiblesse qu'ils vont faire cette sottise.

« Bien », je leur dis. « Mais vous allez me laisser vos fusils, ça manque par ici. »

« Oh dis, tu charries », dit l'un d'eux.

« Je vous donne un parabellum en échange, pour conduire ce type. Mais vous allez me laisser vos fusils, j'en ai besoin. »

« Mais tu nous les rendras, dis? »

« Sûr, quand vous retrouverez la colonne, je vous les rendrai. »

« C'est promis, vieux ? », disent-ils.

« C'est promis », je leur assure.

« Tu ne nous ferais pas ça, vieux, de nous laisser sans fusil ? »

« Mais non », je leur affirme.

On fait l'échange et ils se préparent à partir. Le S. S. a suivi toute cette conversation avec un regard de bête traquée. Il comprend bien que son sort est en jeu. Je regarde le S. S.

« Ich hätte Dich erschossen [1] », je lui dis.

Son regard devient implorant.

« Aber die beiden hier sind zu jung, sie wissen nicht dass Du erschossen sein solltest. Also, los, zum Teufel [2]. »

Ils s'en vont. Je les regarde partir et je sais bien que nous avons fait une sottise. Mais je suis content que ces deux jeunes f. t. p. aient fait cette sottise. Je suis content qu'ils sortent de cette guerre capables de faire une sottise comme celle-là. Ils seraient morts debout, fusillés, en chantant, si les S. S. les avaient faits prisonniers, si c'était l'inverse qui soit arrivé. Je sais bien que j'avais raison, qu'il fallait exécuter ce S. S., mais je ne regrette pas de n'avoir rien dit. Je suis content que ces deux jeunes f. t. p. sortent de cette guerre avec ce cœur faible et pur, eux qui ont choisi volontairement la possibilité de mourir, eux qui ont si souvent affronté la mort, à dix-sept ans, dans une guerre où il n'y avait pas de quartier pour eux.

1. Je t'aurais descendu.
2. Mais ces deux-là sont trop jeunes. Ils ne savent pas que tu devrais être fusillé. Allez au diable.

Ensuite nous regardons les arbres et la route, et nous ne chantons plus. Ils ne chantent plus, c'est-à-dire. La nuit tombe, quand nous arrivons à Eisenach.

« Bonsoir », dit la jeune femme brune aux yeux bleus.

Elle est venue s'asseoir sur le canapé, à côté de moi, dans le grand salon aux lustres de cristal.

« Bonsoir », lui dis-je.

Rien ne m'étonne ce soir, dans cet hôtel d'Eisenach. Ça doit être le vin de la Moselle.

« Que faites-vous là ? », dit-elle.

« Je ne sais plus très bien. »

« Vous partez par le convoi de demain ? », demande-t-elle.

« Ça doit être ça », je lui réponds.

Il y avait des nappes blanches et des verres de plusieurs couleurs. Il y avait des couteaux en argent, des cuillers en argent, des fourchettes en argent. Il y avait le vin de la Moselle.

« Il avait tort. »

« Comment ? », dit la jeune femme.

« Il est fameux, le vin de la Moselle », je précise.

« De qui parlez-vous ? », demande-t-elle.

« D'un type qui est mort. Un gars de Semur. »

Elle me regarde gravement. Je connais ce regard.

« Semur-en-Auxois ? », dit-elle.

« Bien sûr. » Et je hausse les épaules, c'est l'évidence même.

« Mes parents ont une propriété dans le coin », dit-elle.

« Avec de grands arbres, une longue allée au milieu, et des feuilles mortes », lui dis-je.

« Pourquoi savez-vous ? », demande-t-elle.

96

« Les grands arbres vous vont bien », je lui fais remarquer.

Elle hoche la tête et regarde dans le vague.

« Il ne doit pas y avoir de feuilles mortes, à présent », dit-elle doucement.

« Il y a toujours des feuilles mortes quelque part », j'insiste. Ça doit être le vin de la Moselle.

« Présente-nous cette mignonne », fait Yves.

Nous sommes assis autour d'une table basse. Il y a une bouteille de cognac français, sur la table basse. Ça doit être le vin de la Moselle et le cognac français, mais les copains sont en train de ressasser des souvenirs du camp. J'en ai marre, je commence à leur voir pousser une âme d'anciens combattants. Je ne veux pas devenir un ancien combattant. Je ne suis pas un ancien combattant. Je suis autre chose, je suis un futur combattant. Cette idée subite me remplit de joie, et le grand salon de l'hôtel, aux lustres de cristal, devient moins absurde. C'est un endroit où passe par hasard un futur combattant.

Je fais un geste vague de la main vers la jeune femme brune aux yeux clairs et je dis : « Voilà. »

Elle me regarde, elle regarde Yves et les autres et dit :

« Martine Dupuy. »

« Voilà », je dis, tout content. Ça doit être le vin de la Moselle ou bien alors cette certitude rassurante de ne pas être un ancien combattant.

« Mademoiselle Dupuy, je vous présente un groupe d'anciens combattants. »

Les copains rigolent, comme on fait dans ces cas-là.

Martine Dupuy se tourne vers moi.

« Et vous ? », dit-elle à voix presque basse.

« Pas moi. Je ne serai jamais un ancien combattant. »

« Pourquoi ? », dit-elle.

« C'est une décision que je viens de prendre. »

Elle sort un paquet de cigarettes américaines et elle en offre à la ronde. Certains en prennent. J'en prends aussi. Elle allume sa cigarette et me donne du feu.

Les copains ont déjà oublié sa présence et Arnault explique aux autres, qui hochent la tête, pourquoi nous avons combattu, nous qui sommes des anciens combattants. Mais je ne serai pas un ancien combattant.

« Que faites-vous dans la vie ? », demande la jeune femme aux yeux bleus. C'est-à-dire Martine Dupuy.

Je la regarde et je réponds très sérieusement, comme si elle était importante, cette question. Ça doit être le vin de la Moselle.

« Je déteste Charles Morgan, j'ai horreur de Valéry et je n'ai jamais lu *Autant en emporte le vent.* »

Elle a un battement de paupières et demande :

« Même *Sparkenbroke* ? »

« Surtout », je lui réponds.

« Pourquoi ? », dit-elle.

« Ça se passait avant la rue Blainville », je lui explique.

Et l'explication me paraît lumineuse.

« C'est quoi, la rue Blainville ? », demande-t-elle.

« C'est une rue. »

« Bien sûr, elle donne sur la place de la Contrescarpe. Et alors ? »

« C'est là que j'ai commencé à devenir un homme », je lui fais.

Elle me regarde et a un sourire amusé.

« Quel âge avez-vous ? », dit-elle.

« Vingt et un ans », je lui réponds. « Mais ce n'est pas contagieux. »

Elle me regarde droit dans les yeux et sa bouche fait une moue méprisante.

« C'est une plaisanterie d'ancien combattant », dit-elle.

Elle a raison. Il ne faut jamais sous-estimer les êtres, je suis pourtant payé pour le savoir.

« Effaçons », dis-je, un peu honteux.

« Je veux bien », dit-elle, et nous rions ensemble.

« A vos amours », fait Arnault, très digne, et il lève en l'air son verre de cognac.

Nous nous servons du cognac français et nous buvons aussi.

« A ta santé, Arnault », je fais. « Toi aussi tu as fait le mouvement Dada. »

Arnault me regarde fixement et boit son verre de cognac, toujours très digne. La jeune femme brune aux yeux bleus n'a pas compris non plus et j'en suis tout content. Tout compte fait, ce n'est qu'une fille du seizième arrondissement, j'en suis ravi. Son regard bleu est comme le rêve le plus ancien, mais son âme se limite au nord avec l'avenue de Neuilly, au sud avec le Trocadéro, à l'est avec l'avenue Kléber et à l'ouest avec la Muette. Je suis ravi d'être tellement astucieux, ça doit être le vin de la Moselle.

« Et vous ? », je lui demande.

« Moi ? »

« Que faites-vous dans la vie ? », je précise.

Elle baisse le nez sur son verre de cognac.

« J'habite la rue Scheffer », dit-elle doucement.

Je ris, tout seul cette fois-ci.

« J'y pensais, justement. »

Son regard bleu s'étonne de mon air cinglant. Je deviens agressif, mais ce n'est pas le vin de la Moselle. J'ai envie de cette fille, tout simplement. Nous buvons en silence et les copains sont en train de se rappeler mutuellement à quel point nous avons eu faim. Mais avons-nous eu faim, réellement ? Le seul dîner de ce soir a suffi pour effacer deux ans de faim atroce. Je n'arrive plus à réaliser cette faim obsédante. Un seul vrai repas, et la faim est devenue quelque chose d'abstrait. Ce n'est plus qu'un concept, une idée abstraite. Et pourtant, des milliers d'hommes sont morts autour de moi à cause de cette idée abstraite. Je suis content de mon corps, je trouve que c'est une prodigieuse machine. Un seul dîner a suffi pour effacer en lui cette chose désormais inutile, désormais abstraite, cette faim dont nous aurions pu mourir.

« Je n'irai pas vous voir, rue Scheffer », je dis à la jeune femme.

« Vous n'aimez pas ce quartier ? », demande-t-elle.

« Ce n'est pas ça. C'est-à-dire, je ne sais pas. Mais c'est trop loin. »

« Où voulez-vous, alors ? » dit-elle.

Je regarde ses yeux bleus.

« Boulevard Montparnasse, il y avait un endroit qui s'appelait le " Patrick's ". »

« Je ressemble à quelqu'un ? », demande-t-elle, d'une voix voilée.

« Peut-être », je lui dis, « vos yeux bleus ».

J'ai l'air de trouver tout simple qu'elle ait compris ça, cette ressemblance avec quelqu'un d'autrefois.

J'ai l'air de tout trouver normal, cette nuit, dans cet hôtel d'Eisenach au charme vieillot.

« Venez me voir à Semur », dit-elle. « Il y a de grands arbres, une longue allée au milieu des arbres et peut-être même des feuilles mortes. Avec un peu de chance. »

« Je ne crois pas », je lui dis, « je ne crois pas que j'irai ».

« Cette nuit, bon dieu, cette nuit n'en finira jamais », disait le gars de Semur.

Je bois une longue gorgée de cognac français et c'était la quatrième nuit de voyage vers ce camp d'Allemagne, près de Weimar. J'entends de la musique tout à coup, un air que je connais bien, et je ne sais plus du tout où j'en suis. Que vient faire ici *In the shade of the old apple tree?*

« J'aimais bien danser, dans ma jeunesse », je dis à la jeune femme brune.

Nos regards se croisent et nous éclatons de rire ensemble.

« Excusez-moi », lui dis-je.

« Ça fait deux fois que vous glissez sur la pente de l'ancien combattant », dit-elle.

Les officiers français ont trouvé des disques et un phonographe. Ils font danser les filles allemandes et françaises et polonaises. Les Anglais ne bougent pas, ça ne les concerne en rien. Les Américains sont fous de joie et chantent à tue-tête. Je regarde les maîtres d'hôtel allemands. Ils ont l'air de très bien se faire à leur nouvelle vie.

« Venez danser », dit la jeune femme brune.

Elle a un corps souple et les lustres du salon tournoient au-dessus de nos têtes. Nous restons enlacés, en attendant qu'on mette un autre disque.

C'est une musique plus lente et la présence de cette jeune femme aux yeux bleus devient plus précise.

« Alors, Martine? », dit une voix, près de nous, vers le milieu de la danse.

C'est un officier français, en tenue de combat, avec un béret de commando sur le crâne. Il a un air de propriétaire et la jeune femme de la rue Scheffer s'arrête de danser. Je crois que je n'ai plus qu'à aller retrouver les copains et boire du cognac français.

« Bonsoir, vieux », dit l'officier, pendant qu'il prend Martine par le bras.

« Bonsoir, jeune homme », je lui réponds, très digne.

Son sourcil gauche tressaute mais il ne réagit pas.

« Tu viens du camp? », dit-il.

« Comme vous voyez », je lui réponds.

« C'était dur, hein? », fait l'officier au béret de commando, avec un air concentré.

« Mais non », je lui dis, « c'était de la rigolade ». Il hausse les épaules et emmène Martine.

Les copains étaient toujours là. Ils buvaient du cognac et ils étaient en train de se raconter ce qu'ils allaient faire, une fois arrivés chez eux.

Plus tard, dans la chambre que je partageais avec Yves, Yves m'a dit :

« Pourquoi l'as-tu laissée tomber, cette fille? Ç'avait l'air de marcher. »

« Je ne sais pas. Il y a un grand con d'officier avec un béret à rubans qui est venu la reprendre. Elle avait l'air d'être à lui. »

« Pas de veine », a-t-il dit, laconique.

Plus tard, encore plus tard, après que j'eus dit à haute voix, sans m'en rendre compte, le début de

102

ce poème ancien : « Jeune fille aride et sans sourire — ô solitude et tes yeux gris... », il a grogné :
« Si tu veux réciter des vers, va dans le couloir. On
se lève tôt, demain. »

Je ne suis pas allé dans le couloir et on s'est levé
à l'aube. La ville d'Eisenach était déserte, quand
le convoi de trois camions a mis le cap sur Paris.

« Cette nuit, bon dieu, cette nuit n'en finira
jamais », disait le gars de Semur, et cette autre
nuit n'en finissait pas, cette nuit d'Eisenach, dans
cette chambre d'hôtel allemande d'Eisenach. Était-
ce l'étrangeté du vrai lit, au drap blanc, à l'édredon
léger et chaud ? Ou bien le vin de la Moselle ? Peut-
être le souvenir de cette fille, la solitude et ses yeux
gris. La nuit n'en finissait pas, Yves dormait du
sommeil du juste, comme n'en finissaient pas les
nuits d'enfance à guetter le bruit de l'ascenseur,
qui annoncerait le retour des parents, à guetter les
conversations dans le jardin lorsque Swann venait
dîner. Je riais tout bas de moi-même, avec une
allègre lucidité, au fur et à mesure que je découvrais
les lieux communs, les pièges abstraits et littéraires
de mon insomnie peuplée de rêves. Je ne pouvais
pas dormir ; demain, la vie recommencerait et je
ne savais rien de la vie. C'est-à-dire, de cette vie-là
qui allait recommencer. J'étais sorti de la guerre
de mon enfance pour entrer dans la guerre de mon
adolescence, avec une légère halte au milieu d'une
montagne de livres. J'étais à l'aise devant n'importe
quel livre, devant n'importe quelle théorie. Mais
dans les restaurants, les serveurs ne voyaient jamais
mes gestes d'appel ; dans les magasins, je devais
devenir invisible, les vendeuses ne réalisaient jamais ma présence. Et les téléphones ne m'obéis-

saient pas, je tombais toujours sur un faux numéro. Les filles avaient ce regard bleu, inaccessible, ou bien elles étaient tellement faciles que c'en devenait une mécanique sans intérêt véritable. Demain, la vie allait recommencer et je ne savais rien de cette vie-là. Je me retournais dans mon lit, vaguement angoissé. La nuit n'en finirait jamais, l'ascenseur ne s'arrêtait pas à notre étage, et je guettais le départ de Swann, qui s'attardait à bavarder dans le jardin. Je me retournais dans mon lit, dans cette chambre d'hôtel allemande, à Eisenach, et je cherchais un réconfort dans ma mémoire. C'est alors que je me suis rappelé cette femme israélite de la rue de Vaugirard.

Devant le palais du Luxembourg, un camion déchargeait des monceaux de viande pour les cuisiniers de la Wehrmacht. J'avais jeté un coup d'œil sur le spectacle, légèrement écœuré, et j'avais poursuivi ma route. Je marchais sans but précis, simplement, il faisait trop froid dans ma chambre. Il me restait deux gauloises et j'étais sorti pour me réchauffer un peu en marchant et en fumant. J'avais dépassé la grille du Luxembourg, quand j'ai remarqué l'attitude de cette femme. Elle se retournait sur les passants qui arrivaient à sa hauteur et les dévisageait. On aurait dit, c'est-à-dire, je me suis dit, qu'elle cherchait une réponse urgente à quelque question essentielle dans les yeux des passants. Elle dévisageait les passants, semblait les mesurer du regard : étaient-ils dignes de sa confiance? Mais elle ne disait rien, elle détournait la tête et continuait sa marche harassée. Pourquoi harassée? Je me suis demandé pourquoi cette expression toute faite, « marche harassée », m'était venue à l'esprit.

J'ai regardé cette femme solitaire, sur le trottoir de la rue de Vaugirard, à quelques mètres devant moi, entre la rue Jean-Bart et la rue d'Assas. L'expression toute faite, « marche harassée », qui était venue spontanément sur les lèvres de ma pensée était bien venue. Une certaine courbure du dos, cette raideur des jambes, cette épaule gauche un peu tombante, c'était bien une marche harassée. J'avais bien vu. Je me suis dit alors que j'allais arriver à hauteur de cette femme, qu'elle allait se retourner sur moi et qu'il fallait qu'elle m'adresse la parole. Il fallait, tout simplement, qu'elle me pose cette question qui la tourmentait. Car cette question la tourmentait, j'avais observé l'expression de son visage quand elle se retournait sur les passants. J'ai ralenti ma démarche, pour retarder l'instant où je me trouverais à sa hauteur. Car elle pouvait me laisser passer, comme tous les autres, jusqu'à présent, et cela aurait été catastrophique. Si elle me laissait passer, je devenais un être indigne de la confiance d'une femme harassée, trébuchant presque à chaque pas, tout au long de cette interminable rue de Vaugirard. Ce serait vraiment moche, qu'elle me laisse passer, qu'elle n'ait rien à me dire, à moi non plus.

Je suis arrivé à sa hauteur. Elle s'est tournée vers moi, elle m'a dévisagé. Elle pouvait avoir une trentaine d'années. Elle avait un visage usé par cette marche harassante, qu'elle n'avait pas seulement faite avec ses jambes, qu'elle avait faite avec tout son être. Mais elle avait un regard implacable.

« S'il vous plaît », me dit-elle, « la gare Montparnasse, vous savez? »

Elle a un accent slave, ce qu'on appelle un accent slave, et sa voix est légèrement chantante.

Je m'attendais à tout autre chose, je dois dire. Je l'avais vue flancher devant au moins une demi-douzaine de passants, n'osant pas, à la dernière minute, leur poser la question qu'elle avait à poser. Je m'attendais à une tout autre question, beaucoup plus grave. Mais je la regarde et je vois dans ses yeux fixés sur moi, dans la lumière implacable de ses yeux, que c'est la question la plus grave qu'elle ait à poser. La gare Montparnasse, c'est vraiment une question de vie ou de mort.

« Oui, je réponds, c'est facile. »

Et je m'arrête pour lui expliquer.

Elle est debout, immobile, sur le trottoir de la rue de Vaugirard. Elle a eu un bref sourire doulou-reux, quand je lui ai dit que la gare Montparnasse, c'était facile à trouver. Je ne sais pas encore pour-quoi elle a eu ce sourire, je ne comprends pas. Je lui explique le chemin, elle m'écoute attentivement. Je ne sais pas encore qu'elle est israélite, elle me le dira tout à l'heure, en marchant vers la rue de Rennes. Je comprendrai pourquoi elle a eu ce bref sourire, douloureux. C'est qu'il y a près de la gare Montparnasse une maison amie où elle va peut-être enfin pouvoir reprendre son souffle, après cette longue marche harassante. Je l'accompagne, finale-ment, vers cette maison amie, près de la gare Mont-parnasse.

« Merci », dit-elle, devant la porte de la maison.

« Vous êtes sûre que c'est là ? », je lui demande.

Elle a un coup d'œil bref vers le numéro sur la porte.

« Oui », dit-elle, « merci de ce que vous avez fait ».

J'ai dû lui sourire. Je pense que j'ai dû lui sourire, à ce moment-là.

« Vous savez, ce n'était pas sorcier. »

« Sorcier ? »

Elle hausse des sourcils interrogateurs.

« Pas bien compliqué, je veux dire. »

« Non », dit-elle.

Elle regarde la rue et les passants. Je regarde avec elle la rue et les passants.

« Vous auriez bien trouvé toute seule. »

Elle hoche la tête.

« Peut-être pas », dit-elle, « j'avais le cœur mort, peut-être que je n'aurais pas trouvé toute seule ».

Il me reste une gauloise, mais j'ai envie de la garder pour tout à l'heure.

« Vous aviez le cœur mort ? », je lui demande.

« Oui », dit-elle, « le cœur, tout le reste. J'étais toute morte, à l'intérieur ».

« Vous voici arrivée », je lui dis.

Nous regardons la rue, les passants, nous sourions.

« Ce n'est pas la même chose, de toute manière », dit-elle doucement.

« Quoi donc ? », je lui demande.

« De trouver toute seule ou d'être aidée », dit-elle, et elle regarde bien au-delà de moi, dans son passé.

J'ai envie de lui demander pourquoi elle s'est adressée à moi, parmi tous les passants, mais je ne le ferai pas, cela ne regarde qu'elle, en fin de compte.

Elle ramène son regard vers moi, vers la rue, vers les passants.

« Vous aviez l'air d'espérer que je vous parle », dit-elle.

Nous nous regardons, nous n'avons plus rien à nous dire, j'ai l'impression, ou alors ça nous entraînerait trop loin. Elle me tend la main.

107

« Merci », dit-elle.

« C'est moi qui vous remercie », je lui réponds.

Elle a un regard intrigué, une seconde, puis elle tourne les talons et disparaît sous la voûte de l'immeuble.

« Vieux, oh vieux », dit le gars de Semur, « tu ne dors pas? »

En fait, j'ai dû sommeiller, j'ai l'impression d'avoir fait des rêves. Ou bien des rêves se font tout seuls, autour de moi, et c'est la réalité de ce wagon que je crois rêver.

« Non, je ne dors pas. »

« Tu crois qu'elle va bientôt finir, cette nuit? », demande le gars de Semur.

« Je ne sais pas, je ne sais pas du tout. »

« J'en ai vraiment marre », dit-il.

Sa voix le laisse bien entendre.

« Essaye de sommeiller un peu. »

« Oh non, c'est pire », dit le gars de Semur.

« Pourquoi ça? »

« Je rêve que je tombe, je n'arrête pas de tomber. »

« Moi aussi », je lui dis.

C'est vrai qu'on tombe, irrémédiablement. On tombe dans un puits, du haut d'une falaise, on tombe dans l'eau. Mais cette nuit-là, j'étais heureux de tomber à l'eau, de m'enfoncer dans la soie bruissante de l'eau, plein la bouche, plein les poumons. C'était l'eau sans fin, l'eau sans fond, la grande eau maternelle. Je me réveillais en sursaut, lorsque mon corps pliait et s'affalait, et c'était pire. Le wagon et la nuit dans le wagon étaient bien pires que le cauchemar.

« Je crois que je ne vais pas tenir le coup », dit le gars de Semur.

« Tu me fais rire », je lui réponds.

« Sans blague, vieux, je me sens tout mort à l'intérieur. »

Ça me rappelle quelque chose.

« Comment ça, mort? », je lui demande.

« Eh bien mort, pas vivant. »

« Le cœur aussi? », je lui demande.

« Mais oui, j'ai le cœur mort », dit-il.

Il y a quelqu'un, derrière nous, qui commence à hurler. La voix monte, et puis s'évanouit presque, dans un gémissement chuchoté, et reprend de plus belle.

« S'il n'arrête pas, on va devenir dingues », dit le gars de Semur.

Je le sens tout crispé, j'entends sa respiration haletante.

« Dingues, oui ça vous fera les pieds », dit la voix derrière nous.

Le gars de Semur se retourne à demi, vers la masse d'ombre des corps entassés derrière nous.

« Il n'est pas encore crevé, ce conard? » dit-il.

Le type marmonne des grossièretés.

« Sois poli », dit le gars de Semur, « et laisse-nous parler en paix ».

Le type ricane.

« Ça, pour parler, vous êtes fortiches », dit-il.

« On aime ça », je fais, « c'est le sel des voyages ».

« Si tu n'es pas content », ajoute le gars de Semur, « descends à la prochaine ».

Le type ricane.

« A la prochaine », dit-il, « on descend tous ».

Il dit vrai, pour une fois.

« T'en fais pas », dit le gars de Semur, « où qu'on aille, on t'aura à l'œil ».

« Bien sûr », dit une autre voix, un peu plus loin, à gauche, « les mouchards, ça se surveille de près ».

Du coup, le type ne dit plus rien.

Le hurlement de tout à l'heure est devenu une plainte chuchotée, interminable, accablante.

« Qu'est-ce que ça veut dire », je demande au gars de Semur « d'avoir le cœur mort? »

C'était il y a un an, à quelque chose près, rue de Vaugirard. Elle m'avait dit : « J'ai le cœur mort, je suis toute morte à l'intérieur. » Je me demande si son cœur s'est remis à vivre. Elle ne savait pas si elle pourrait rester dans cette maison amie, longtemps. Peut-être a-t-elle été obligée de se remettre en marche. Je me demande si elle n'a pas déjà fait ce voyage que nous faisons, le gars de Semur et moi.

« Je ne saurais pas te dire, dit le gars de Semur. On ne sent plus rien, comme un trou, ou alors comme une pierre très lourde, à la place du cœur. »

Je me demande si elle a finalement fait ce voyage que nous faisons. Je ne sais pas encore que, de toute façon, si elle a fait ce voyage, elle ne l'a pas fait comme nous le faisons. Car il y a encore une autre façon de voyager, pour les Juifs, j'ai vu cela plus tard. Je pense à ce voyage qu'elle a peut-être fait, vaguement, car je ne sais pas encore d'une façon précise quelle sorte de voyages on fait faire aux Juifs. Je le saurai plus tard, d'une façon précise.

Je ne sais pas non plus que je verrai cette femme, une fois encore, lorsque ces voyages seront oubliés. Elle était dans le jardin de la maison de Saint-Prix, des années après le retour de ce voyage, et j'ai trouvé tout naturel de la voir, subitement, dans le soleil frileux d'un début de printemps. A l'entrée du village, là où s'amorce la route qui monte vers le « Lapin Sauté », on avait loti le grand parc qui descendait vers Saint-Leu, en pente douce. Je venais de traverser la forêt, dans le soleil levant, avec toute la fatigue sur mes épaules d'une nuit blanche, d'une nuit gâchée. J'avais laissé les autres, dans la grande pièce où tournaient sans arrêt les mêmes disques de jazz, et j'avais marché dans la forêt, longuement, avant de redescendre vers Saint-Prix. Sur la place, la maison avait été ravalée, récemment. La porte était entrouverte et j'ai poussé la porte. A droite, le couloir mène vers le jardin, et j'ai traversé la pelouse, en frissonnant sous le soleil du printemps, après cette nuit blanche. Le désir m'était venu, dans la forêt, pendant que je marchais longuement dans la forêt, d'entendre de nouveau le bruit que faisait la cloche du potager. J'ai ouvert et fermé plusieurs fois la porte du potager, pour entendre ce bruit dont je me souvenais, le bruit oxydé, ferrugineux, de la petite cloche que le battant de la porte vient heurter. C'est alors que je me suis retourné et que j'ai vu une femme qui me regardait. Elle était allongée sur une chaise-longue, près de la vieille cabane où on serrait le bois de chauffage, autrefois. « Vous entendez ? » lui dis-je. « Comment ? » dit la femme. « Le bruit », lui dis-je, « le bruit de la cloche ». « Oui », dit-elle. « J'aime bien », lui dis-je. La femme me regarde, pendant que je traverse la pelouse et que je m'approche d'elle. « Je suis une amie de Mme Wolff », dit-elle, et je trouve tout naturel qu'elle soit là, et qu'elle soit une amie de Mme Wolff, et que ce soit le début du printemps, une nouvelle fois.

Je lui demande si la maison appartient toujours à Mme Wolff et elle me regarde. « Ça fait longtemps que vous n'êtes pas venu? » me dit-elle. Je pense que ça fait cinq ou six ans que ma famille a quitté cette maison. « Ça fait six ans, à peu près », lui dis-je. « La cloche du potager », dit-elle, « vous aimiez son bruit? » Je lui réponds que je l'aime toujours. « Moi aussi » dit-elle, mais j'ai l'impression qu'elle préférerait être seule. « Vous êtes entré par hasard? » me demande-t-elle, et j'ai l'impression qu'elle voudrait bien que je sois entré par hasard, qu'il n'y ait aucune vraie raison pour que je sois ici. « Pas du tout », lui dis-je, et je lui explique que je voulais revoir le jardin et entendre de nouveau ce bruit que fait la cloche du potager. « En fait, je suis venu d'assez loin, pour ça », lui dis-je. « Vous connaissez Mme Wolff? » dit-elle, précipitamment, comme si elle voulait éviter à tout prix que je lui dise les vraies raisons de ma venue. « Bien sûr », lui dis-je. A côté de la chaise-longue il y a un siège pliant, avec un livre, fermé, et un verre d'eau, à moitié plein, posés dessus. Je déplace le livre et le verre et je m'assieds. « Vous ne fumez pas? » lui dis-je. Elle secoue la tête et je me demande si elle ne va pas fuir. J'allume une cigarette et je lui demande pourquoi elle aime le bruit de cette cloche. Elle secoue les épaules. « Parce que c'est comme autrefois », dit-elle, sèchement. « Voilà », dis-je et je lui souris. Mais elle se redresse sur la chaise-longue et se penche en avant. « Vous ne pouvez pas comprendre », dit-elle. Je la regarde. « Mais si », lui dis-je, « pour moi aussi c'est un souvenir d'avant ». Je me penche vers elle et je lui prends le bras droit, par le poignet, je lui retourne le bras, et mes doigts effleurent sa peau blanche et fine, et le numéro bleu d'Oswiecim tatoué sur sa peau blanche, fine, un peu flétrie, déjà. « Je me demandais », lui dis-je, « je me demandais si vous aviez fait, finalement, ce voyage ». Alors, elle retire le bras, qu'elle serre contre sa poitrine, et elle se replie, le plus loin possible, sur la chaise-longue. « Qui êtes-vous? » dit-elle. Sa voix s'étrangle. « Dans la vallée de la Moselle », lui dis-je, « je me suis demandé si vous aviez fait ce voyage ». Elle me regarde, haletante. « Plus tard, aussi, quand j'ai vu arriver les trains des Juifs évacués de Pologne, je me suis demandé si vous aviez fait ce voyage. » Elle commence à pleurer, silencieusement. « Mais qui êtes-vous? », implore-t-elle. Je secoue la tête. « Je me suis demandé si cette maison, rue Bourdelle, derrière la gare Montparnasse, allait être un refuge durable, ou bien si ce n'était qu'une halte, avant de reprendre le voyage. » « Je ne vous connais pas », dit-elle. Je lui dis que je l'ai tout de suite reconnue, c'est-à-dire, j'ai su tout de suite que je la connaissais, avant même de la reconnaître. Elle pleure toujours, en silence. « Je ne sais pas qui vous êtes », dit-elle, « laissez-moi seule ». « Vous ne savez pas qui je suis, mais une fois vous m'avez reconnu », lui dis-je. Je me souviens de son regard d'autrefois, rue de Vaugirard, mais elle n'a plus ce regard implacable. « Rue de Vaugirard », lui dis-je, « en 41 ou 42, je ne sais plus ». Elle prend sa tête entre ses mains. « Vous vouliez savoir comment aller vers la gare Montparnasse, vous n'osiez pas le demander aux passants. Vous me l'avez demandé. » « Je ne me souviens pas », dit-elle. « Vous cherchiez la rue Antoine-Bourdelle, en vérité. Je vous y ai conduite. » « Je ne me souviens pas », dit-elle. « Vous alliez chez

113

des amis, rue Antoine-Bourdelle, vous ne vous souvenez pas ? » lui dis-je. « Je me souviens, cette rue, cette maison, je me souviens », dit-elle. « Vous aviez un manteau bleu », lui dis-je. « Je ne me souviens pas », dit-elle. Mais j'insiste encore, je m'accroche encore à l'espoir qu'elle va se souvenir. « Vous étiez perdue », lui dis-je, « vous ne saviez pas comment trouver la gare Montparnasse. C'est moi qui vous ai aidée ». Alors, elle me regarde et elle crie, presque. « Personne ne m'a aidée, jamais. » Je sens que c'est fini, qu'il faudrait partir. « Moi », lui dis-je, « on m'a aidé tout le temps ». « Personne », dit-elle, « jamais ». Je la regarde et je vois qu'elle est tout à fait sincère, qu'elle est tout à fait convaincue de ce qu'elle dit. « J'ai eu de la chance, peut-être », lui dis-je, « toute ma vie je suis tombé sur des types qui m'ont aidé ». Alors, elle crie, de nouveau. « Vous n'êtes pas juif, c'est tout. » J'écrase sur l'herbe le mégot de ma cigarette. « C'est vrai », lui dis-je, « je n'ai jamais été juif. Parfois, je le regrette ». Maintenant, j'ai l'impression qu'elle voudrait m'insulter, par son rire de mépris, par son regard fermé, par la blessure ouverte de son visage de pierre. « Vous ne savez pas de quoi vous parlez », dit-elle. « Je ne sais pas », lui dis-je, « je sais que Hans est mort ». Il y a du silence, ensuite, et il faut que je m'en aille. « Vous êtes sûr de m'avoir vue rue de Vaugirard, en 42 ? » dit-elle. Je fais un geste de la main. « Si vous avez oublié, c'est comme si je ne vous avais pas vue. » « Comment ? » dit-elle. « Si vous avez oublié, c'est vrai que je ne vous ai pas vue. C'est vrai que nous ne nous connaissons pas. » Je me lève, après avoir dit ça. « C'est un malentendu », lui dis-je, « excusez-moi ». « Je ne me souviens pas », dit-elle,

114

« je regrette ». « Ça n'a pas d'importance », lui dis-je, et je m'en vais.

Mais je ne sais pas encore qu'elle a fait ce voyage et qu'elle en est revenue morte, murée dans sa solitude.

« Quelle heure peut-il être? » dit une voix derrière nous.

Personne ne répond, puisque personne ne sait l'heure qu'il peut être. C'est la nuit, simplement. La nuit dont on ne voit pas le bout. D'ailleurs, en ce moment, la nuit n'a pas de bout, elle est réellement éternelle, elle s'est installée à jamais dans son être nuit sans fin. Même si nous avions pu garder nos montres, même si les S. S. n'avaient pas pris toutes nos montres, même si nous pouvions voir l'heure qu'il est, je me demande si cette heure aurait une signification concrète. Peut-être ne serait-ce qu'une référence abstraite au monde extérieur, où le temps passe réellement, où il a sa densité propre, sa durée. Mais pour nous, cette nuit, vraiment, dans le wagon, n'est qu'ombre sourde, nuit détachée de tout ce qui n'est pas la nuit.

« On ne bouge pas, ça fait des heures qu'on ne bouge pas », dit une voix derrière nous.

« Tu croyais peut-être qu'on avait priorité? » dit quelqu'un d'autre.

Il me semble reconnaître cette dernière voix. Je crois bien que c'est celle du type qui a dit qu'il était un marrant, lors de l'incident de la tinette. C'est lui sûrement. Je commence à distinguer les voix de ce voyage.

Plus tard, dans quelques mois, je saurai quelle sorte de voyages ils font faire aux Juifs. Je verrai arriver les trains, à la gare du camp, lors de la grande

offensive soviétique d'hiver, en Pologne. Ils évacuaient les Juifs des camps de Pologne, ceux qu'ils
n'avaient pas eu le loisir d'exterminer, ou bien peut-
être pensaient-ils pouvoir encore les faire travailler
un peu. Ça a été un rude hiver, cet hiver de l'année
prochaine. J'ai vu arriver les trains des Juifs, les
transports des Juifs évacués des camps de Pologne.
Ils étaient près de deux cents dans chaque wagon
cadenassé, près de quatre-vingts de plus que nous.
Cette nuit-là, à côté du gars de Semur, je n'ai pas
essayé d'imaginer ce que cela pouvait représenter,
d'être deux cents dans un wagon comme le nôtre.
Après, oui, quand on a vu arriver les trains des
Juifs de Pologne, j'ai essayé d'imaginer. Et ça a
été un rude hiver, cet hiver de l'année suivante. Les
Juifs de Pologne ont voyagé six jours, huit jours,
dix jours parfois, dans le froid de ce rude hiver.
Sans manger, bien entendu, sans boire. A l'arrivée,
quand on tirait les portes coulissantes, personne ne
bougeait. Il fallait écarter la masse gelée des cadavres, des Juifs de Pologne morts debout, gelés
debout, ils tombaient comme des quilles sur le quai
de la gare du camp, pour trouver quelques survivants. Car il y avait des survivants. Une lente
cohorte trébuchante se mettait en marche vers l'entrée du camp. Certains tombaient, pour ne plus se
relever, d'autres se relevaient, d'autres se traînaient, littéralement, vers l'entrée du camp. Un jour,
dans la masse agglutinée des cadavres d'un wagon,
nous avons trouvé trois gosses juifs. L'aîné avait
cinq ans. Les copains allemands du « Lagerschutz »
les ont escamotés sous le nez des S. S. Ils ont vécu
au camp, ils s'en sont sortis, les trois orphelins
juifs que nous avions trouvés dans la masse congelée

des cadavres. C'est ainsi, ce rude hiver de l'année prochaine, que je saurai comment ils font voyager les Juifs.

Mais cette année-là, à côté de mon copain de Semur, qui avait le cœur mort, tout à coup, j'ai seulement pensé que peut-être avait-elle déjà fait ce voyage, cette femme juive de la rue de Vaugirard. Peut-être avait-elle regardé la vallée de la Moselle, elle aussi, de ses yeux implacables.

On entend des voix de commandement, dehors, des pas précipités, des bruits de bottes sur les bas-côtés de la voie.

« On repart », je dis.

« Tu crois ? » demande le gars de Semur.

« Ils rappellent les sentinelles, on dirait. »

Nous restons immobiles, dans le noir, à attendre.

Le train siffle deux fois et repart, brutalement.

« Oh vieux, regarde, vieux », dit le gars de Semur, tout excité.

Je regarde et c'est l'aube. C'est une frange grisâtre, à l'horizon, et qui s'élargit. C'est l'aube, une nuit de gagnée, une nuit de moins de ce voyage. Cette nuit n'en finissait pas, en vérité, elle n'avait pas de fin prévisible. L'aube éclate en nous, ce n'est encore qu'une mince bande grisâtre d'horizon, mais rien ne pourra plus arrêter son déploiement. L'aube se déploie d'elle-même, à partir de sa propre nuit, se déploie vers elle-même, vers son anéantissement rutilant.

« Ça y est, vieux, ça y est », chante le gars de Semur.

Dans le wagon, tout le monde se met à parler à la fois et le train roule.

117

Le voyage du retour, je l'ai fait dans les arbres. C'est-à-dire, j'avais les yeux pleins d'arbres, pleins de feuilles d'arbres, pleins de branches vertes. J'étais allongé tout à fait à l'arrière du camion bâché, je regardais le ciel, et le ciel était plein d'arbres. D'Eisenach à Longuyon, c'est fou ce qu'il y avait comme arbres, dans le ciel du printemps. De temps à autre, aussi, des avions. La guerre n'était pas finie, c'est entendu, mais ils avaient l'air irréel, pas à leur place, ces avions ridicules dans le ciel du printemps. Je n'avais d'yeux que pour les arbres, pour les branches vertes des arbres. D'Eisenach à Longuyon, j'ai fait le voyage dans les arbres. C'était bien reposant, de voyager comme ça.

Le deuxième jour du voyage, vers le soir déjà, je sommeillais les yeux ouverts, il y a des voix qui ont éclaté tout à coup dans mes oreilles.

« Ça y est, les gars, ça y est, ce coup-ci. »

Un type d'une voix stridente, a commencé à chanter la Marseillaise. C'était le Commandant, sans doute, il n'y avait que lui pour me faire un coup pareil.

J'étais bien, je n'avais pas envie de bouger. Toute cette agitation me dépassait.

« Ça y est, les gars, on est chez nous, les gars. »

« Vous avez vu, les gars ? C'est la France. »

« On est en France, les gars, c'est la France. »

« Vive la France », a crié la voix stridente du Commandant, ce qui a interrompu la Marseillaise, bien entendu. Mais la Marseillaise a repris aussitôt, on pouvait faire confiance au Commandant.

Je regardais les arbres et les arbres ne m'avaient averti de rien. Tout à l'heure, si j'en croyais tous ces cris, c'étaient des arbres allemands, et voici que c'étaient des arbres français, si j'en croyais mes compagnons de voyage. Je regardais les feuilles des arbres. Elles étaient du même vert que tout à l'heure. Je devais mal voir, certainement. Si l'on avait demandé au Commandant, il aurait sûrement vu la différence. Il ne s'y serait pas trompé, avec des arbres français.

Il y a un type qui me secoue aux épaules.

« Vieux », dit le type, « vieux, t'as pas vu ? Nous sommes chez nous.

« Pas moi », je lui réponds, sans bouger.

« Comment ça ? » demande le type.

Je me redresse à demi et je le regarde. Il a l'air méfiant.

« Mais non, je ne suis pas français. »

Le visage du type s'éclaire.

« C'est vrai », dit-il, « j'oubliais. On oublie, avec toi. Tu parles tout à fait comme nous ».

Je n'ai pas envie de lui expliquer pourquoi je parle tout à fait comme eux, pourquoi je parle comme le Commandant, sans accent, c'est-à-dire, avec un accent bien de chez eux. C'est le plus sûr moyen de préserver ma qualité d'étranger, à laquelle je tiens par-dessus tout. Si j'avais de l'accent, ma qualité d'étranger serait dévoilée à tout moment, dans toute circonstance. Elle deviendrait quelque chose de banal, d'extériorisé. Moi-même, je m'habituerais à cette banalité d'être pris pour un étranger. Du même coup, ce ne serait plus rien, d'être étranger, cela n'aurait plus de signification. C'est pour cela que je n'ai pas d'accent, que j'ai effacé toute possibilité d'être pris pour un étranger, d'après mon langage. Être étranger, c'est devenu en quelque sorte une vertu intérieure.

« Ça ne fait rien », dit le type. « On ne va pas te chicaner pour si peu, un si beau jour. La France, d'ailleurs, c'est ta patrie d'adoption. »

Il est content, le type, il me sourit amicalement.

« Ah non », je lui dis, « une patrie, c'est bien suffisant, je ne vais pas encore m'en coller une seconde sur le dos ».

Il est vexé, le type. Il m'a fait le plus beau cadeau qu'il puisse me faire, qu'il pense pouvoir me faire. Il m'a fait Français d'adoption. En quelque sorte, il m'autorise à être semblable à lui-même, et je refuse ce don.

Il est vexé et s'écarte de moi.

Il faudra que j'essaye de penser un jour sérieusement à cette manie qu'ont tant de Français de croire que leur pays est la seconde patrie de tout le monde. Il faudra que j'essaye de comprendre pourquoi tant de Français sont si contents de l'être, si raisonnablement satisfaits de l'être.

Pour l'instant, je n'ai pas envie de m'occuper de ces questions. Je continue de regarder les arbres qui défilent au-dessus de moi, entre le ciel et moi. Je regarde les feuilles vertes, elles sont françaises. Ils sont rentrés chez eux, les gars, tant mieux pour eux.

Un hiver, je me souviens, il y a quelques années, j'attendais dans une grande salle de la Préfecture de Police. Je venais pour le renouvellement de mon permis de séjour, et la grande salle était pleine d'étrangers, venus comme moi, pour la même chose, ou pour quelque chose d'analogue.

J'étais dans une file d'attente, c'était une longue file d'attente devant une table qu'il y avait au bout de la salle. A la table, il y avait un petit homme dont la cigarette s'éteignait tout le temps. Il était tout le temps en train de rallumer sa cigarette. Le petit homme regardait les papiers des gens, ou les convocations qu'ils avaient, pour les diriger vers tel guichet ou bien tel autre. Parfois, il en renvoyait, tout simplement, avec de grands cris. Le petit homme mal fagoté ne voulait sûrement pas qu'on le confonde, qu'on le prenne pour ce qu'il avait l'air d'être, un petit homme mal fagoté dont la cigarette s'éteignait tout le temps. Alors, il criait, parfois, il insultait les gens, surtout des femmes. Qu'est-ce que nous nous imaginions, nous tous, nous métèques? Le petit homme, c'était l'incarnation du pouvoir, il avait l'œil à tout, c'était un pilier de l'ordre nouveau. Qu'est-ce que nous nous imaginions, qu'on peut se présenter comme ça, avec un jour de retard sur la date de la convocation? Les gars expliquaient. Le travail, une femme malade, des enfants à soigner. Mais il ne se laissait pas avoir, le petit homme, par ces raisons dérisoires, par cette évidente mauvaise foi. Il allait nous montrer de quel bois il se chauffait, vous allez voir, mes salauds, de quel bois je me chauffe, il allait nous montrer qu'il ne fallait pas le confondre, qu'il avait ce que l'on sait où l'on pense. Il allait nous dresser, nous, sales étrangers. Et puis, subitement il oubliait qu'il avait à être l'incarnation foudroyante du pouvoir et il suçotait son mégot, sans rien dire, pendant de longues minutes. Le silence tombait sur la grande salle, sur les bruits confus des chuchotements, des pieds qui raclent le parquet.

J'étais fasciné par le spectacle du petit homme. Je n'ai même pas trouvé le temps trop long. Finalement, mon tour est arrivé et je me suis trouvé devant la petite table, le petit homme et son mégot qui venait justement de s'éteindre encore une fois. Il prend mon récépissé de carte de séjour et l'agite, d'un air dégoûté, en me fusillant du regard. Je ne bronche pas, je le regarde fixement, ce type me fascine.

Il pose le récépissé sur la table, rallume son mégot et regarde le récépissé.

« Ah, ah », dit-il d'une voix tonnante, « un rouge espagnol ».

Il a l'air fou de joie. Ça doit faire longtemps qu'il n'a pas eu un rouge espagnol à se mettre sous la dent.

Je me souviens vaguement du port de Bayonne, de l'arrivée du chalutier dans le port de Bayonne. Le chalutier avait accosté juste à côté de la grande place, il y avait des massifs de fleurs, des estivants. Nous regardions ces images de la vie d'avant. C'est à Bayonne que j'ai entendu dire pour la première fois qu'on était des rouges espagnols.

Je regarde le petit homme, je ne dis rien, je suis en train de penser vaguement à cette journée de Bayonne, il y a des années. De toute façon, il n'y a jamais rien à dire à un flic.

« Voyez-moi ça », crie-t-il, « un rouge espagnol ».

Il me regarde, je le regarde. Je sais que tout le monde a les yeux fixés sur nous. Alors, je me redresse un peu. D'habitude, je me tiens le dos un peu courbé. On a eu beau me dire : « tiens-toi droit », rien à faire, je me tiens toujours les épaules un peu voûtées. Je n'y puis rien, je suis plus à l'aise dans mon corps de cette façon-là. Mais je me redresse tant que je peux, maintenant. Il ne faudrait pas que l'on prenne mon attitude naturelle pour une attitude de soumission. Ça me fait horreur, cette pensée-là.

Je regarde le petit homme, il me regarde. Tout à coup, il explose.

« Je vais t'apprendre, mon salaud, moi, oui, moi. Faudrait pas se foutre de ma gueule. Et d'abord, tu vas te remettre au bout de la queue et tu vas recommencer à attendre. »

Je ne dis rien, je lui reprends mon récépissé sur la table et je me détourne. Son mégot s'est encore éteint et cette fois il l'écrase rageusement dans un cendrier.

Je marche dans la salle, tout au long de la file d'attente, et je pense à cette manie des flics, de toujours vous tutoyer. Ils s'imaginent peut-être que ça nous impressionne. Mais il ne sait pas ce qu'il a fait, ce triste enfant de pute. Il m'a traité de rouge espagnol et voilà que j'ai tout à coup cessé d'être seul dans la grande salle grise et terne. Tout au long de la file d'attente j'ai vu s'épanouir les regards, venir au jour, dans cette grisaille, les plus beaux sourires du monde. Je tiens toujours mon récépissé à la main, pour un peu je le ferais claquer en l'air. Je reprends une place, au bout de la file d'attente. Les gars se serrent autour de moi, ils sourient. Ils étaient seuls, et j'étais seul, voilà que nous sommes tous ensemble. Il a gagné, le petit homme.

Je suis allongé dans le camion, je regarde les arbres. C'est à Bayonne, sur le quai juste à côté de la grande place de Bayonne, que j'ai appris que j'étais un rouge espagnol. Le lendemain, j'ai eu ma deuxième surprise quand nous avons lu dans un journal qu'il y avait les rouges et les nationaux. Pourquoi c'étaient des nationaux, tout en faisant la guerre avec les troupes marocaines, la légion étrangère, les avions allemands et les divisions Littorio, ce n'était pas facile à saisir. C'est un des premiers mystères de la langue française que j'ai eu à déchiffrer. Mais à

Bayonne, sur le quai de Bayonne, je suis devenu rouge espagnol. Il y avait des massifs de fleurs, des tas d'estivants derrière les gendarmes, qui étaient venus voir débarquer les rouges espagnols. Nous avons été vaccinés et on nous a laissés débarquer. Les estivants regardaient les rouges espagnols et nous regardions les vitrines des boulangers. Nous regardions le pain blanc, les croissants dorés, toutes ces choses d'autrefois. Nous étions dépaysés, dans ce monde d'autrefois.

Ensuite, je n'ai plus cessé d'être un rouge espagnol. C'est une façon d'être qui était valable partout. Ainsi, au camp, j'étais un « Rotspanier ». Je regardais les arbres et j'étais content d'être un rouge espagnol. Les années passaient, j'en étais de plus en plus content.

Subitement, il n'y a plus d'arbres et le camion s'arrête. Nous sommes à Longuyon, au camp de rapatriement. Nous sautons en bas du camion et j'ai les jambes engourdies. Des infirmières s'approchent de nous et le commandant les embrasse toutes. La joie du retour, certainement. Après, c'est le cirque. Il faut boire du viandox et répondre à des tas de questions stupides.

A écouter toutes ces questions, j'ai brusquement pris une décision. Il faut dire, elle mûrissait déjà en moi, cette décision. J'y avais déjà pensé, vaguement, dans les arbres, entre Eisenach et ici. Je pense qu'elle mûrissait depuis que j'avais vu les copains devenir des anciens combattants, dans le salon de l'hôtel d'Eisenach, sous les lustres de l'hôtel d'Eisenach. Peut-être même a-t-elle commencé à mûrir avant. Peut-être étais-je tout disposé à prendre cette décision, dès avant le retour de ce voyage.

En tout cas, en répondant machinalement à toutes ces questions stupides : vous aviez très faim? vous aviez froid? vous étiez très malheureux? j'ai pris la décision de ne plus parler de ce voyage, de ne plus jamais me mettre dans la situation d'avoir à répondre à des questions sur ce voyage. D'un côté, je savais bien que ce ne serait pas possible, à tout jamais. Mais, au moins, une longue période de silence, des années de silence sur ce voyage, seigneur, c'était la seule façon de s'en sortir. Peut-être plus tard, quand personne ne parlera plus de ces voyages, peut-être alors aurais-je à en parler. Cette possibilité flottait confusément à l'horizon de ma décision.

Nous avions été tiraillés de droite et de gauche, et finalement nous nous sommes retrouvés dans une salle d'où on nous a conduits, un par un, à la visite médicale.

Quand mon tour est venu, je suis passé à la radioscopie, chez le cardiologue, chez le dentiste. On m'a pesé, mesuré, on m'a posé des tas de questions sur les maladies que j'avais eues étant enfant. Au bout de la filière, je me suis trouvé assis devant un médecin qui avait mon dossier complet, avec les observations faites par les différents spécialistes.

« C'est inouï », dit le docteur, après avoir consulté ma fiche.

Je le regarde et il m'offre une cigarette.

« C'est incroyable », dit le docteur, « apparemment, vous n'avez rien de grave ».

Je fais un geste vaguement intéressé, car je ne sais pas de quoi il parle, au juste.

« Rien aux poumons, rien au cœur, tension normale. C'est incroyable », répète le docteur.

Je fume la cigarette qu'il m'a offerte et j'essaye de réaliser que c'est incroyable, j'essaye de me mettre dans la peau d'un cas incroyable. J'ai envie de lui dire, à ce docteur, que c'est d'être vivant qui est incroyable, de me trouver dans la peau d'un vivant qui est incroyable. Même avec une tension anormale, ce serait incroyable d'être encore dans la peau d'un vivant.

« Bien sûr », dit le docteur, « vous avez deux ou trois dents de cariées. Mais enfin, c'est logique ».

« C'est la moindre des choses », je lui dis, histoire de ne pas le laisser parler tout seul.

« Depuis des semaines, je vois passer des déportés », me dit-il, « mais vous êtes le premier cas où il semble que tout soit en ordre ».

Il me regarde un instant et ajoute :

« Apparemment. »

« Ah oui ? », je fais, poliment.

Il me regarde avec attention, comme s'il craignait de voir tout à coup apparaître les signes de quelque mal inconnu qui ait échappé aux observations des spécialistes.

« Voulez-vous que je vous dise ? », me dit-il.

En fait, je ne veux pas, ça ne m'intéresse vraiment pas. Mais il ne m'a pas posé cette question pour que je lui dise si je veux qu'il me dise, il est décidé à me dire, de toute façon.

« Je peux vous le dire, puisque vous êtes en parfait état », me dit-il.

Puis, il fait une légère pause et ajoute :

« Apparemment. »

Toujours le doute scientifique. Il a appris à être prudent, cet homme, ça se comprend.

« Je peux vous le dire », continue-t-il, « la plupart

des types qui sont passés entre nos mains n'y survivront pas ».

Il s'emballe, il a l'air passionné par son sujet.
Il aborde une longue explication médicale sur les
séquelles prévisibles de la déportation. Et je commence à avoir un peu honte d'être en si bon état,
apparemment. Pour un peu, je me trouverais
suspect. Pour un peu, je lui dirais que ce n'est pas
de ma faute. Pour un peu, je m'excuserais d'avoir
survécu, d'avoir encore des chances de survivre.

« Je vous dis, la plupart d'entre vous vont y rester. Quelle en sera la proportion, l'avenir le dira.
Mais je ne crois pas me tromper si j'affirme que
soixante pour cent des survivants vont mourir
dans les mois et les années qui viennent, des suites
de la déportation. »

J'ai envie de lui dire que toute cette histoire ne
me concerne plus, que j'ai tiré un trait. J'ai envie
de lui dire qu'il m'emmerde, que ma mort ou ma
survie ne le regardent pas. De toute façon, mon
copain de Semur est mort, j'ai envie de le lui dire.
Mais il fait son métier, cet homme, je ne peux quand
même pas l'empêcher de faire son métier.

Il me dit au revoir et il paraît que j'ai eu une
sacrée veine. Il faudrait presque que je sois tout
content d'avoir fait ce voyage. Si je n'avais pas
fait ce voyage, je n'aurais jamais su que j'étais un
sacré veinard. Je dois avouer qu'en ce moment le
monde des vivants me déconcerte un peu.

Dehors, il y avait Haroux qui m'attendait.

« Alors, vieux », me dit-il, « tu t'en sortiras ? »

« Il paraît, à en croire le toubib, c'était un vrai
sana, tellement je suis costaud. »

« Pas moi », dit Haroux, en rigolant, « il paraît

127

que le cœur, ça marche pas fort. Faut que j'aille me faire vraiment voir, à Paris ».

« C'est pas grave, le cœur, suffit de ne pas s'en servir. »

« Tu crois que je m'en fais, vieux ? » dit Haroux, « on est là, il fait soleil, on pourrait être partis en fumée ».

« Oui », je dis.

On devrait être partis en fumée, même. Nous rigolons ensemble. Haroux en vient aussi, nous avons le droit d'en rire, si ça nous chante. Et ça nous chante, précisément.

« Allez, viens », dit Haroux. « Il faut qu'on aille se faire faire des papiers d'identité provisoires. »

« C'est vrai, bon dieu, ça recommence. »

Nous nous mettons à marcher vers la baraque de l'administration.

« Et alors, mon petit gars », dit Haroux, « tu voudrais pas qu'on te laisse circuler sans papiers, non ? Des fois que tu serais un autre ».

« Quelles preuves ont-ils que je ne suis pas un autre. On s'amène comme des fleurs, nous. On peut-être des autres. »

Il s'amuse, Haroux.

« Et la foi du serment, mon vieux ? On va déclarer qui nous sommes sous la foi du serment. Tu trouves pas ça sérieux, la foi du serment ? »

Haroux, il s'amuse. Il y a son cœur qui ne marche pas fort, sûrement le docteur l'a compté parmi les soixante pour cent qui ne survivront pas, mais il fait soleil et on pourrait être partis en fumée.

« Tu as l'air en forme, Haroux. »

« En forme ? Tu peux le dire. Je baigne dans le beurre, vieux, voilà comment je me sens. »

128

« T'en as de la veine, moi, toutes ces infirmières, ces questions stupides, ces docteurs, tous ces regards apitoyés et ces hochements de tête, ça me marche sur les pieds. »

Il explose, Haroux, il est pris de fou rire.

« Tu prends tout trop au sérieux, mon gars, je te l'ai toujours dit. T'as une grosse tête, quoi. Laisse-toi aller, vieux, et fais comme moi, ris-en. Tu ne les trouves pas tordants, tous ces pékins? »

On est entrés dans la baraque de l'administration et il a un regard circulaire pour tous ces pékins et ces pékines.

« De toute façon », dit-il, « on n'est pas encore dans le coup, tu comprends ».

Ça doit être ça, bien sûr.

La foi du serment y aidant, les formalités d'identification ont été assez brèves, dans l'ensemble. On se retrouve au bout de la rangée devant une jeune femme blonde, en blouse blanche, qui prend la fiche de Haroux et écrit quelque chose dessus. Ensuite, elle donne à Haroux un billet de mille francs et huit paquets de gauloises. Car c'est la préposée aux primes de rapatriement. Elle prend ma fiche et ma carte provisoire d'identité. Elle inscrit quelque chose sur la fiche et aligne sur la table les huit paquets de gauloises. Je commence à les mettre dans ma poche, mais il y en a trop, il faut que j'en garde la moitié à la main. Ensuite, elle me tend le billet de mille francs. Haroux me donne une gauloise et nous fumons. La jeune femme blonde jette un coup d'œil sur ma carte d'identité, au moment où elle allait me la rendre.

« Oh », dit-elle, « mais vous n'êtes pas français! »

« Non », je lui dis.

« Mais vraiment pas ? » dit-elle, en regardant ma carte.

« La France est ma patrie d'adoption, à ce qu'il paraît mais je ne suis vraiment pas français. »

Elle me regarde et puis elle regarde ma carte de plus près.

« Vous êtes quoi ? » demande-t-elle.

« Vous voyez, je suis réfugié espagnol. »

« Et vous n'êtes pas naturalisé ? » insiste-t-elle.

« Mademoiselle, attendez que je sois mort pour m'empailler. »

Après, j'ai un peu honte. C'est encore une plaisanterie d'ancien combattant, comme dirait la jeune femme brune d'Eisenach.

« Mais c'est sérieux, monsieur », me dit-elle, sur un ton administratif, « vous n'êtes réellement pas français ? »

« Réellement pas. »

Haroux, à côté de moi, commence à s'impatienter.

« Qu'est-ce que ça peut faire, qu'il soit français ou turc, mon copain ? » demande-t-il.

« Je ne suis pas turc », je dis doucement.

Juste pour mettre les choses au point.

« Qu'il ne soit pas français, qu'est-ce que ça peut foutre ? » demande Haroux.

La jeune femme blonde est un peu affolée.

« Voyez-vous », dit-elle, « c'est au sujet de la prime de rapatriement. Seuls les citoyens français y ont droit ».

« Je ne suis pas citoyen français », je lui explique.

« D'ailleurs, je ne suis pas citoyen du tout. »

« Vous n'allez pas me faire croire qu'il n'a pas droit à ce misérable billet de mille balles », explose Haroux.

« Justement », dit la jeune femme blonde, « justement, il n'y a pas droit ».

« Mais qui a décidé cette nom de dieu de connerie? » crie Haroux.

La jeune femme blonde est de plus en plus affolée.

« Ne vous fâchez pas, monsieur, je n'y suis pour rien, c'est l'Administration. »

Haroux éclate d'un rire tonitruant.

« Administration de mes deux », fait-il, « vous trouvez ça normal? »

« Mais je n'ai pas à trouver, monsieur », dit-elle.

« Vous n'avez pas d'opinion personnelle là-dessus? » demande Haroux, méchamment.

« S'il fallait que j'aie des opinions personnelles, monsieur, je n'en finirais pas », dit-elle, sincèrement choquée. « Je me limite à exécuter les ordres de l'Administration, monsieur », ajoute-t-elle.

« Ta sœur », fait Haroux, hargneux.

« Ma sœur aussi est fonctionnaire, monsieur », dit-elle, de plus en plus vexée.

« Laisse tomber », je dis à Haroux, « tu vois bien que mademoiselle a des ordres ».

Haroux me foudroie du regard.

« Ta gueule », fait-il, « tu n'es pas français, cette histoire ne te regarde pas. Pour moi, c'est une question de principe ».

« Les instructions sont formelles, monsieur. Elles sont consignées dans une note écrite. Seuls les citoyens français ont droit à la prime de rapatriement », dit la jeune femme.

« Alors, nous avons fait cette guerre pour rien », dit Haroux.

« Ne charrie pas. »

« La ferme », il dit, « c'est une question de principe ».

« D'ailleurs », j'insiste, « je ne l'ai pas faite, cette guerre ».

« Qu'est-ce que tu déconnes? » dit Haroux, furieux.

« Mais rien, je ne l'ai pas faite, c'est tout. »

« Ça veut dire quoi, ta salade? » me dit-il.

Il s'est tourné vers moi et la jeune femme blonde nous regarde. Elle a toujours ma carte d'identité provisoire à la main.

« Ça veut dire que je ne suis pas un ancien combattant. Ça veut dire que je ne l'ai pas faite, cette guerre. »

« T'es dingue? Qu'est-ce que t'as fait, alors? »

« J'ai fait de la résistance », je lui précise.

« Ne pinaille pas, veux-tu. Tu ne penses pas que tu y as droit, à cette misère de prime de rapatriement? »

« Oh, pardon! » dit la jeune femme, vexée, « ce n'est pas la prime de rapatriement, c'est un acompte. Le montant total de la prime n'a pas encore été fixé ».

Elle tient à ce que les choses soient claires, cette jeune femme. On est comme ça, dans l'Administration.

« Acompte de mes deux », fait Haroux.

« Ne soyez pas grossier », dit la jeune femme.

Haroux explose de nouveau d'un rire tonitruant.

« Alors, tu le veux ou tu le veux pas, cet acompte de mes deux? »

« Mais je ne suis pas rapatrié », je dis, innocemment.

« T'es dingue », dit Haroux.

« Mais monsieur », dit la jeune femme, « il ne s'agit pas que monsieur veuille ou ne veuille pas, il s'agit qu'il n'y a pas droit. Vous comprenez? C'est une question d'y avoir droit ».

« C'est une question de merde », dit Haroux, définitif.

Le bruit de la discussion a attiré l'attention sur nous. Il y a un type qui s'approche. Il n'a pas de blouse blanche, mais un complet bleu. Il doit être chef de service dans cette Administration qui administre notre retour au monde. Il s'enquiert poliment des causes de la discussion. Haroux les lui explique, avec de fortes paroles et quelques considérations générales sur l'état de la France. La jeune femme blonde lui explique aussi, administrativement, sur un ton neutre. C'est une affaire qui la concerne administrativement, elle n'a pas à prendre parti.

Le chef de service au complet bleu nous explique poliment quelles sont les décisions de l'Administration. Il n'y a pas de doute, il faut que je rende ce billet de mille francs. Je n'ai pas droit à ce billet de mille francs. « Remarquez, d'ailleurs, que monsieur aura certainement droit, à une date ultérieure, à la prime de rapatriement, lorsque la question de la prime de rapatriement et le statut des rapatriés auront été légalement précisés. La question se posera forcément, dans son ensemble, parce qu'ils sont nombreux, les étrangers qui se sont battus pour la France, comme monsieur. » Je n'ai pas envie de lui dire que je ne me suis pas battu pour la France et que, de toute façon, je ne suis pas rapatrié. Je n'ai pas envie de compliquer les choses. Je rends le billet de mille francs auquel je n'ai pas droit. « D'autre part, monsieur a droit au transport et à l'hébergement gratuits, sur tout le territoire national, jusqu'à son lieu de résidence. C'est sur son lieu de résidence que la question de son statut de rapatrié pourra être examinée dans son ensemble. » Je ne lui dis pas que je n'ai pas de lieu de résidence. Peut-être cela compliquerait-il la question de mon hébergement et de mon transport gratuits, sur tout le territoire national. Haroux ne dit plus rien. Il a l'air accablé par toutes ces considérations administratives. Nous allons partir.

« Et les cigarettes ? » dit la jeune femme blonde.

La question des cigarettes, subitement rappelée, fait écarquiller les yeux du chef de service au complet bleu.

« Les cigarettes », répète-t-il.

Haroux, les bras lui en tombent, il ne sait plus que dire.

Mais le chef de service a pris une décision rapide et courageuse.

« Évidemment », dit-il, « selon la lettre de cette circulaire, les cigarettes et cet acompte de mille francs sont liés. Mais je pense que nous serons fidèles à l'esprit de cette circulaire, si nous laissons les cigarettes à monsieur. A moins que monsieur ne soit pas fumeur ? »

« Eh bien », je rétorque, « je suis plutôt fumeur ».

« Gardez donc ces cigarettes », dit-il, « gardez-les donc. L'esprit de cette circulaire vous y autorise ».

Haroux regarde à droite et à gauche, dans le vague. Il cherche à repérer l'esprit de cette circulaire, peut-être.

« Bonne chance, messieurs », dit le chef de service, « et bon retour dans vos foyers ».

Les petits dieux lares malins de mon foyer doivent s'en payer, pour le moment. Haroux et moi, nous nous retrouvons dans la cour.

« C'est pas croyable », dit Haroux.

Je n'ose pas lui dire que je trouve tout ça assez

significatif, dans l'ensemble, il a l'air trop accablé. Nous marchons dans la grande allée du camp de rapatriement. Mais le fait est que je ne suis pas rapatrié, j'en suis presque reconnaissant à cette femme blonde, de me l'avoir rappelé. J'arrive d'un pays étranger dans un autre pays étranger. C'est-à-dire, c'est moi qui suis étranger. Je suis presque content d'avoir retrouvé d'emblée ma qualité d'étranger, cela m'aide à garder mes distances. Haroux, bien sûr, il a un point de vue différent. Il a l'air triste, Haroux, de constater la stabilité des structures administratives de son pays. Il a dû rêver d'une France toute neuve, le dimanche, au camp, quand on avait le temps de rêver. Le choc avec la réalité le navre. Il ne dit plus rien, Haroux. Mais moi, les chocs avec la réalité m'ont toujours semblé prodigieusement excitants pour l'esprit. Ça vous oblige à réfléchir, il n'y a pas de doute. Nous marchons dans la grande allée du camp de Longuyon et nous nous arrêtons pour boire, à une borne-fontaine. Haroux boit le premier, il s'essuie du revers de la main.

« C'est con comme la mort, tout ça », dit-il, bougonnant.

Je trouve qu'il exagère, que la mort c'est quand même beaucoup plus con. Je bois aussi, l'eau est fraîche. Je pense que ce voyage est terminé. L'eau fraîche coule dans ma gorge et je me souviens de cette autre fontaine, sur la place de ce village allemand. Justement, Haroux y était aussi. Nous marchions sur la route blanche et il y avait tantôt de l'ombre et tantôt du soleil. Les bâtiments du Petit Camp étaient restés à droite, parmi les arbres. Nous allions boire. Les S. S. avaient fait sauter les conduites d'eau, hier, en s'enfuyant. Mais il doit y avoir une fontaine, sur la place de ce village. Il y a sûrement une fontaine, nous allons boire.

Nos bottes heurtent durement les cailloux, sur la route blanche, et nous parlons fort. Il doit y avoir une fontaine, sur la place de ce village. Le dimanche, nous regardions parfois ce village, tapi dans la plaine verdoyante. Nous étions dans le petit bois, juste au-delà des baraques du Petit Camp, et nous regardions ce village. Il y avait des fumées calmes, sur les maisons de ce village. Mais aujourd'hui nous sommes dehors, nous marchons sur la route caillouteuse, nous parlons fort. Le village doit nous attendre, il est au bout de notre marche conquérante, il n'est rien d'autre que le bout de notre marche.

Je regarde les arbres, les arbres bougent. Il y a le vent d'avril sur les arbres. Le paysage a cessé d'être immobile. Avant, sous le rythme lent et immuable des saisons, le paysage était immobile. C'est-à-dire, nous étions immobiles dans un paysage qui n'était qu'un décor. Mais le paysage s'est mis à bouger. Chaque sentier qui s'amorce, à gauche, sous les arbres, est une voie qui conduit vers les profondeurs du paysage, vers le renouvellement perpétuel du paysage. Toutes ces joies possibles, à portée de la main, ça me fait rire. Haroux s'est arrêté pour m'attendre, il marchait en avant. Il me regarde rire, tout seul.

« Pourquoi tu ris, tout seul? » demande-t-il.

« C'est marrant, de marcher sur une route. »

Je me retourne et je regarde autour de moi. Il fait de même.

« Oui », dit-il, « c'est assez marrant ».

Nous allumons des cigarettes. Ce sont des « camel », c'est un soldat américain qui me les a données. Il était du Nouveau Mexique, il parlait un espagnol chantant.

« Le printemps », je dis à Haroux, « la campagne, ça m'a toujours fait rire ».

« Et pourquoi? » demande-t-il.

Il a des cheveux blancs, tout ras, et il se demande pourquoi ça me fait rire, toujours, le printemps, la campagne.

« Je ne sais pas très bien, ça me détend. Quoi, ça me fait rire. »

Nous tournons la tête et nous regardons le camp.

Les baraques du camp de quarantaine, les bâtiments du « Revier », sont en partie cachés par les arbres. Plus haut, sur le flanc de la colline, s'alignent les rangées des blocs en ciment et sur le pourtour de la place d'appel, les baraques en bois, d'un joli vert, printanier. A gauche, tout au fond, la cheminée du crématoire. Nous regardons cette colline déboisée où des hommes ont construit le camp. Il y a le silence, et le ciel d'avril sur ce camp que des hommes ont construit.

J'essaye de réaliser que c'est un instant unique, que nous avons tenacement survécu pour cet instant unique, où nous pourrions regarder le camp, de l'extérieur. Mais je n'y arrive pas. Je n'arrive pas à saisir ce qu'il a d'unique, cet instant unique. Je me dis : mon vieux, regarde, c'est un instant unique, il y a des tas de copains qui sont morts, ils rêvaient à cet instant où nous pourrions regarder le camp, comme ceci, de l'extérieur, où nous ne serions plus dedans, mais dehors, — je me dis tout ça, mais ça ne m'emballe pas. Je ne suis sûrement pas doué pour saisir les instants uniques, dans leur pure transparence à eux-mêmes. Je vois le camp, j'entends le bruissement silencieux du printemps, et ça me donne envie de rire, de courir dans les sentiers vers les sous-bois d'un vert fragile, comme toujours la campagne, le printemps.

J'ai raté cet instant unique.

« Alors, vous venez? » crie Diego, cent mètres plus bas.

Et on y va.

Nous avions soif, nous nous étions dit qu'il doit y avoir une fontaine, sur la place de ce village. Il y a toujours des fontaines, sur la place des petits villages campagnards. L'eau y coule, fraîche, sur la pierre polie par les ans. Nous rattrapons Diego et Pierre, à grandes enjambées, qui nous attendent au carrefour de la route goudronnée qui mène vers le village.

« Qu'est-ce que vous foutiez? » demande Diego.

« Le printemps, ça le fait rire. Il s'arrête, et rit aux anges », répond Haroux.

« Ça le travaille, quoi, le printemps », constate Pierre.

« Mais non », je dis, « pas encore. Mais c'est marrant, de marcher sur une route. Jusqu'à hier, c'est les autres, qui marchaient, sur les routes ».

« Quels autres? » demande Diego.

« Tous les autres, qui n'étaient pas dedans. »

« On était nombreux, à être dedans », dit Pierre, goguenard.

C'est un fait, on était nombreux.

« Alors », fait Diego, « on y va, dans ce putain de village? »

Machinalement, nous regardons vers le bout de la route, ce putain de village. En vérité, ce n'est pas la soif, principalement, qui nous pousse, vers ce village. On aurait pu boire l'eau que les Américains ont ame-

138

née, dans leurs camions-citernes. C'est le village qui nous attire, en lui-même. Le village, c'était le dehors, la vie au-dehors, qui se poursuivait. Le dimanche, sur la lisière des arbres, au-delà du Petit Camp, c'est la vie au dehors que nous guettions. Nous sommes en marche vers la vie au dehors.

Je ne ris plus, je chante.

Diego se retourne, ulcéré.

« Qu'est-ce que tu crois chanter? » dit-il.

« Mais, *La Paloma!* »

Il m'embête à la fin. Je trouve que ça s'entend, que je chante *La Paloma*.

« Tu parles! » et il hausse les épaules.

Chaque fois que je chante, on me dit de me taire. Même quand nous chantons en chœur, je vois les gestes indignés des copains, qui se bouchent les oreilles. Pour finir, quand nous chantons en chœur, je me borne à ouvrir la bouche, mais aucun son ne franchit ma bouche. C'est la seule façon de m'en tirer. Mais il y a pire. Même quand je ne chante rien de précis, que j'improvise, on me dit que c'est faux. Je ne comprends pas comment ça peut être faux, rien. Mais il paraît que le faux et le juste, en musique, sont des notions absolues. Le résultat, c'est que je ne peux même pas chanter à tue-tête, sous la douche. Même là, on me crie de me taire.

Nous marchons sur la route goudronnée et nous ne disons plus rien. La campagne est belle, alentour, mais elle est vide, c'est une campagne verte et grasse où on ne voit personne travailler, où nulle figure humaine n'apparaît. Peut-être n'est-ce pas le moment de travailler aux champs, je ne sais pas, je suis un homme des villes. Ou bien c'est toujours comme cela, la campagne, le lendemain de l'invasion. Peut-être les campagnes sont-elles toujours comme ceci, vides, attentives dans le silence, le lendemain du jour où sont arrivés les envahisseurs. Pour nous, c'est la vie d'avant qui recommence, la vie d'avant ce voyage. Mais pour ces paysans de Thuringe, car il doit y en avoir, quand même, c'est la vie d'après qui commence aujourd'hui, la vie d'après la défaite, d'après l'invasion. Ils sont peut-être chez eux, à attendre quelle tournure va prendre leur vie d'après la défaite. Je me demande quelle tête ils vont faire, dans ce village, en nous voyant apparaître.

Nous arrivons devant les premières maisons du village. Ce n'est pas encore une vraie rue, c'est juste la route qui se prolonge et autour de laquelle commencent à se dresser des maisons. Elles sont bien astiquées, ces maisons, elles sont agréables à regarder. Derrière une barrière toute blanche on entend des bruits de basse-cour. Nous ne disons rien, nous passons devant ces bruits de basse-cour. Et un peu plus loin, c'est la place du village. Elle est bien là, nous ne l'avions pas rêvée. Il y a une fontaine, au milieu, deux hêtres qui ombragent un coin de la place, avec des bancs.

L'eau coule dans une vasque de pierre polie par les ans, sur un terre-plein circulaire auquel on accède par deux marches. L'eau coule, d'un jet égal, et parfois le vent d'avril disperse le jet d'eau et l'on n'entend plus le bruit du jet d'eau venant frapper la surface de l'eau dans la vasque. Nous sommes là, nous regardons l'eau couler.

Diego, s'approche du jet d'eau, et boit, longuement. Il se redresse et il a le visage couvert de gouttes brillantes.

« Elle est bonne », dit-il.

140

Alors, Pierre s'approche à son tour, et il boit.

Je regarde autour de nous, les maisons sur cette place déserte. Le village, on dirait, qu'il est vide mais je sens la présence humaine de ce village, derrière les portes closes, les fenêtres fermées.

Pierre se redresse à son tour, et il rit.

« Bon dieu, ça c'est de l'eau! » dit-il.

Au camp, l'eau était mauvaise, il fallait faire attention de ne pas trop en boire. Je me souviens, cette nuit où nous sommes arrivés, il y en a beaucoup qui ont été malades comme des chiens, de s'être gorgés de cette eau tiède et écœurante. Le gars de Semur était resté dans le wagon. Depuis qu'il était mort, je l'avais tenu à bout de bras, j'avais son cadavre contre moi. Mais les S. S. ont ouvert les portes coulissantes, leurs cris et leurs coups ont déferlé sur nous, au milieu des aboiements rageurs des chiens de garde. Nous avons sauté sur le quai, pieds nus dans la boue de l'hiver, et j'ai laissé mon copain de Semur dans le wagon. J'ai allongé son cadavre à côté de celui du petit vieux qui était mort en disant : « Vous vous rendez compte? » Je commençais à me rendre compte, c'est sûr.

Haroux en a bu aussi, de cette eau qui était bonne.

Je me demande depuis combien d'années cette fontaine déverse-t-elle son eau vivante. Mais ce sont des siècles, qui sait. Peut-être est-ce cette fontaine qui a fait ce village, cette source d'autrefois qui a attiré autour d'elle les paysans, les maisons des paysans. Je pense qu'en tous les cas, cette eau vivante coulait ici, déjà, lorsque l'Ettersberg n'était pas encore déboisé, lorsque les branches des hêtres couvraient encore toute la colline où on a construit le camp. Les S. S. avaient conservé, sur l'esplanade entre les cuisines et l' « Effektenkammer », ce hêtre dont on dit que Goethe venait s'asseoir à son ombre. Je pense à Goethe et à Eckermann, en train de bavarder pour la postérité, sous ce hêtre entre les cuisines et l' « Effektenkammer ». Je pense qu'ils ne pourront plus y venir, l'arbre a brûlé de l'intérieur, ce n'est qu'une carcasse vide et pourrissante, une bombe au phosphore américaine a liquidé le hêtre de Goethe, le jour où ils ont bombardé les usines du camp. Je regarde Haroux s'inonder le visage de cette eau fraîche et pure et je me demande quelle tête il ferait si je lui disais qu'il est en train de boire l'eau de Goethe, que sûrement Goethe est venu jusqu'à cette source campagnarde, pour étancher sa soif, après avoir bavardé avec Eckermann, pour la postérité. C'est simple, il m'enverrait chier.

Haroux a bu et c'est à moi.

L'eau est bonne, il n'y a pas à dire. Pas aussi bonne que l'eau de Guadarrama, l'eau des sources du Paular ou de Buitrago, mais elle est bonne, il n'y a rien à dire. Elle a un arrière-goût ferrugineux. A Yerres aussi, l'eau de la source, au fond du potager, avait un arrière-goût ferrugineux.

Nous avons fini de boire et nous sommes debout, au milieu de la place.

Nous regardons autour de nous, nous traînons nos bottes sur le pavé de la place. Je me demande si le village a peur, si les paysans nous craignent. Ils ont travaillé dans ces champs, durant des années ils ont eu les bâtiments du camp sous leurs yeux, quand ils travaillaient dans leurs champs. Le dimanche, nous les voyions passer sur la route, avec leurs femmes, leurs enfants. C'était le printemps, comme aujourd'hui et ils se promenaient. Pour nous,

142

c'étaient des hommes qui se promenaient, avec leurs familles, après une semaine de dur travail. Leur être nous était immédiatement accessible, leur comportement était transparent, pour nous. C'était la vie d'avant. Notre regard fasciné les découvrait dans leur vérité générique. Ils étaient des paysans, un dimanche, sur la route, avec leurs familles, se promenant. Mais nous, quelle vision pouvaient-ils avoir de nous? Il fallait bien qu'il y ait une raison grave pour que nous soyons enfermés dans un camp, pour qu'on nous fasse travailler dès avant l'aube, été comme hiver. Nous étions des criminels, dont les fautes devaient être particulièrement graves. C'est comme cela qu'ils devaient nous voir, ces paysans, si tant est qu'ils nous voyaient, qu'ils réalisaient, vraiment, notre existence. Ils n'ont jamais dû se poser, vraiment, le problème de notre existence, le problème que notre existence leur posait. Nous faisions sûrement partie de ces événements du monde dont ils ne se posaient pas la question, dont ils n'avaient pas les moyens, ils ne voulaient pas les avoir, en outre, de se poser le problème, de les envisager en tant que problèmes. La guerre, ces criminels sur l'Ettersberg (des étrangers, en plus, cela aide à ne pas se poser de problèmes, à ne pas se compliquer la vie), les bombardements, la défaite, et les victoires avant, tout cela c'étaient des événements qui les dépassaient, littéralement. Ils travaillaient leurs champs, ils se promenaient le dimanche, après avoir écouté le pasteur, le reste leur échappait. D'ailleurs, c'est vrai, le reste leur échappait, puisqu'ils étaient décidés à le laisser échapper.

« Il n'y a personne, dans ce village? » dit Pierre.

« Mais si, tu vois bien », lui répond Haroux.

On voit bien, en effet, qu'il y a du monde. Des rideaux bougent, à certaines fenêtres. Des regards nous épient. Nous sommes venus chercher la vie d'avant, la vie au dehors. Mais nous avons amené avec nous la menace de toute chose inconnue, d'une réalité, jusqu'à hier, criminelle et punissable. Le village fait le vide autour de nous.

« Eh bien », dit Pierre, « on n'a plus qu'à foutre le camp ».

Il a raison, mais nous restons, à traîner nos bottes sur le pavé de la place, à regarder ces maisons dont la vie intérieure s'est dérobée devant nous. Qu'attendait-on, au juste, de ce village ?

« Alors, quoi ? » fait Diego, « c'est un village allemand, il n'y a pas de quoi faire cette tête-là ».

Ainsi, nous faisons une tête. Puisque Diego le dit, c'est que nous faisons une tête. C'est-à-dire, c'est que moi aussi, j'en fais, une tête, car les autres, je le voyais bien qu'ils en faisaient, une tête, Diego y compris.

Nous rions, bêtement, en nous regardant.

« Eh bien, on s'en va », dit Haroux.

Et on s'en va. Le village nous expulse, il chasse le bruit de nos bottes, notre présence offensante pour sa tranquillité, pour sa bonne conscience ignorante, il chasse nos vêtements rayés, nos crânes rasés, notre regard des dimanches, qui découvrait la vie au-dehors dans ce village. Et puis, voilà, ce n'était pas la vie au-dehors, ce n'était qu'une autre façon d'être dedans, d'être à l'intérieur de ce même monde de l'oppression systématique, conséquente jusqu'au bout, dont le camp était l'expression. On s'en va. L'eau était bonne quand même, il n'y a rien à dire. Elle était fraîche, c'était de l'eau vivante.

144

« Oh vieux, secoue-toi », dit le gars de Semur

Depuis que le jour s'est levé, j'ai sombré dans une sorte de somnolence hébétée.

« Quoi ? » je demande.

« Bon sang. Ça fait des heures qu'on roule, sans arrêt, et tu es là, à ne rien voir. Ça ne t'intéresse plus, le paysage ? »

Je regarde le paysage, d'un œil morne. Non, ça ne m'intéresse plus, pour l'instant. D'ailleurs, c'est loin d'être aussi beau qu'hier, que la vallée de la Moselle sous la neige.

« Il n'est pas beau, ce paysage », je fais.

Le gars de Semur rigole. C'est-à-dire, j'ai l'impression qu'il se force un peu.

« Qu'est-ce que tu aurais voulu ? » dit-il. « Un circuit touristique ? »

« Je n'aurais rien voulu. Simplement, hier c'était beau et aujourd'hui ce n'est pas beau, ce paysage. »

Depuis que le jour s'est levé, j'ai l'impression que mon corps va se briser en morceaux. Je sens chacun de ces morceaux, isolément, comme si mon corps n'était plus un tout. Les douleurs de mon corps s'éparpillent aux quatre coins de l'horizon. Quand j'étais enfant, je me souviens, dans ce grand salon de coiffure où on nous menait, pas loin du « Bijenkorf », à la Haye, je m'efforçais de sentir en face de moi, dans mon image dans la grande glace en face de moi, les vibrations de la tondeuse électrique ou le frisson du fil du rasoir sur les pommettes et la nuque. C'était un grand salon de coiffure pour hommes, avec une bonne dizaine de fauteuils devant cette longue glace qui occupait toute la paroi d'en face. Les fils des tondeuses électriques coulissaient

sur une sorte de tringle, à la hauteur d'une main
d'homme dressée en l'air. Maintenant que j'y pense,
il y avait le même système de tondeuses coulissant
sur une sorte de tringle, dans la grande salle de la
désinfection, au camp. Mais ici il n'y avait pas
de fauteuils, bien entendu. Je m'asseyais dans le
fauteuil, dans ce salon de coiffure à côté du « Bijenkorf », et je me laissais aller. La chaleur ambiante,
le ronronnement des tondeuses, mon absence déli-
bérée de moi-même, me projetaient dans un engourdissement voisin de l'hébétude. Ensuite, je m'ébrouais
un peu intérieurement et je fixais mon image, dans
la longue glace qui occupait toute la paroi d'en
face. D'abord, il fallait faire bien attention de ne
fixer que ma seule image, de l'isoler de tous les
autres reflets dans la glace. Il ne fallait pas que la
tête rubiconde de ce Hollandais qui est en train de
se faire raser une barbe rousse vienne me gêner dans
ma tentative. Au bout d'un instant de fixité presque
douloureuse, j'avais l'impression que mon reflet
dans la glace se détachait de la surface polie, avançant vers moi, ou bien reculant plus loin, au-delà
de la glace, mais en tout cas cerné par une sorte
de frange lumineuse qui l'isolait de tous les autres
reflets, devenus flous, obscurcis. Un effort de
plus, et la vibration de la tondeuse sur ma nuque,
je ne la sentais plus sur ma nuque, c'est-à-dire, si,
je la sentais sur ma nuque, mais là-bas, en face de
moi, sur cette nuque qui devait se trouver derrière
l'image de ma tête reflétée dans la glace. Aujourd'hui
cependant, je n'ai pas besoin de jouer, douloureu-
sement, à égarer autour de moi mes propres sensations corporelles, aujourd'hui, tous les morceaux
brisés et piétinés de mon corps s'éparpillent aux

quatre coins de l'horizon restreint du wagon. Il ne me reste plus, bien à moi, à l'intérieur de moi-même, que cette boule de feu, spongieuse et brûlante, quelque part derrière mes yeux, où semblent se répercuter, mollement parfois, et soudain d'une façon aiguë, toutes les douleurs qui me parviennent de mon corps brisé en morceaux éparpillés autour de moi.

« En tout cas, on roule », dit le gars de Semur.

Au moment même où il dit ça, il y a un soleil pâle qui se reflète sur les vitres d'un poste d'aiguillage et le train s'arrête au long d'un quai de gare.

« Merde alors », dit le gars de Semur.

Les questions fusent de toutes parts vers ceux qui se trouvent près des ouvertures barrées par le fil de fer barbelé. Ils veulent savoir où on est, les gars, qu'est-ce qu'on voit, si c'est une gare ou bien si nous sommes, une fois de plus, arrêtés en pleine campagne.

« C'est une gare », je dis, pour ceux qui se trouvent derrière nous.

« Ç'a l'air d'être une grande ville ? » demande quelqu'un.

« Non », dit le gars de Semur, « une petite ville, plutôt ».

« On est arrivés ? » demande quelqu'un d'autre.

« Comment veux-tu qu'on sache, vieux ? » dit le gars de Semur.

Je regarde la gare et au-delà de la gare et cela a l'air d'être une petite ville, en effet. Le quai est vide et il y a des sentinelles sur le quai et des sentinelles devant les portes qui donnent accès aux salles d'attente et aux passages pour voyageurs. On voit des gens s'agiter, derrière les vitres des salles d'attente,

147

derrière les tourniquets des passages pour voyageurs.

« T'as vu ? » je fais au gars de Semur.

Il hoche la tête. Il a vu.

« On dirait qu'on est attendus. »

L'idée que c'est peut-être la fin du voyage flotte dans les brumes de ma fatigue désespérée. Mais elle ne me fait ni chaud ni froid, cette idée que c'est peut-être la fin du voyage.

« C'est peut-être Weimar », dit le gars de Semur.

« Tu es toujours convaincu qu'on va à Weimar ? »

Et cela ne me fait ni chaud ni froid, qu'on soit à Weimar, que ce soit Weimar. Je ne suis plus qu'une morne étendue piétinée par le galop des douleurs lancinantes.

« Bien sûr, vieux », dit le gars de Semur, conciliant.

Et il me regarde. Je vois bien qu'il pense qu'il vaudrait mieux que ce soit Weimar, qu'il vaut mieux qu'on soit arrivés. Je vois bien qu'il croit que je n'en ai plus pour longtemps. Cela non plus ne me touche pas, que j'en aie pour longtemps ou pas, que je sois au bout de mon rouleau ou pas.

A Ascona, deux ans plus tard, à peu près deux ans plus tard, je me suis souvenu de cette halte dans la gare provinciale, sous une pâle clarté d'hiver. J'étais descendu à Solduno, à l'arrêt du tram, et au lieu de remonter tout de suite vers la maison, je me souviens, j'ai traversé le pont et j'ai marché jusqu'au quai d'Ascona. C'était l'hiver aussi, mais il faisait soleil, j'ai pris un café en plein air, au soleil, sur la terrasse d'un des bistrots du quai d'Ascona, face au lac miroitant sous le soleil de l'hiver. Il y avait autour de moi quelques femmes, belles, des voitures de sport, et des jeunes gens habillés de flanelle impeccable. Le paysage était beau, tendre, c'était le début de l'après-guerre. On parlait plusieurs langues autour de moi, et les voitures de sport klaxonnaient, en démarrant en trombe, parmi les rires, vers des joies fugaces. J'étais assis, je buvais du vrai café, je ne pensais à rien, c'est-à-dire, je pensais qu'il me fallait bientôt partir, que ces trois mois de repos en Suisse italienne allaient bientôt finir. Il me faudrait organiser ma vie, c'est-à-dire, j'avais vingt-deux ans et il me fallait commencer à vivre. L'été de mon retour, l'automne, je n'avais pas encore commencé à vivre. Simplement, j'avais suivi, jusqu'au bout, jusqu'à l'épuisement, toutes les possibilités recelées dans les instants qui passent, successifs. Maintenant, il me faudrait commencer à vivre, avoir des projets, un travail, des obligations, un avenir. Mais à Ascona, sur le quai d'Ascona, devant le lac brillant sous le soleil de l'hiver, je n'avais pas encore d'avenir. Depuis que j'étais arrivé à Solduno je n'avais fait qu'absorber du soleil par tous les pores de ma peau et qu'écrire ce livre dont je savais déjà qu'il ne servirait qu'à mettre en ordre mon passé pour moi-même. C'est alors, à Ascona, devant mon café, du vrai café, heureux sous le soleil, désespérément heureux d'un bonheur vide et brumeux, que je me suis souvenu de cette halte dans la petite ville allemande, au cours de ce voyage. Au fil des années, il faut dire, des souvenirs m'ont assailli, parfois, d'une parfaite précision, surgissant de l'oubli volontaire de ce voyage, avec la perfection polie des diamants que rien ne peut entamer. Ce soir, par exemple, où je devais dîner chez des amis. La table était dressée dans une grande pièce agréable, il y avait un feu de bois dans la cheminée. Nous avons parlé de choses et d'autres, on s'entendait bien, et Catherine nous a demandé de venir à table. Elle avait prévu un dîner à la russe, et c'est ainsi que j'ai eu à la main, tout à coup, une tranche de pain noir, et j'ai mordu dedans, d'une façon machinale, tout en poursuivant la conversation. Alors, ce goût de pain noir, un peu acide, cette lente mastication du pain noir, grumeleux, ont fait revivre en moi, brutalement, ces instants merveilleux où l'on mangeait notre ration de pain, au camp, où l'on dévorait longuement, avec des ruses d'Indien, pour que cela dure, les minuscules carrés de pain humide et sableux que l'on découpait dans la ration de la journée. Je suis resté immobile, le bras en l'air, avec ma tartine de bon pain noir, un peu acide, à la main, et mon cœur battait follement. Catherine m'a demandé ce que j'avais. Je n'avais rien, comme ça, une pensée, aucun rapport, je ne pouvais quand même pas lui dire que j'étais en train de mourir, en train de défaillir de faim, très loin d'eux, très loin du feu de bois, des paroles que nous prononcions, sous la neige de Thuringe, au milieu des grands hêtres où soufflaient les rafales de l'hiver. Ou bien cette autre fois, à Limoges, au cours d'un voyage. On avait arrêté la voiture devant un café, « Le Trianon », en face du Lycée. Nous étions au comptoir, en train de boire un café, et quelqu'un a mis en marche l'appareil à musique, c'est-à-dire, j'ai d'abord entendu les premières mesures de *Tequila*, avant de réaliser que quelqu'un d'autre avait dû mettre en marche l'appareil à musique. Je me suis retourné, j'ai vu à une table un groupe de jeunes gens et de jeunes filles, ils battaient la mesure et se trémoussaient sur le rythme de *Tequila*. J'ai souri en moi-même, d'abord, en pensant que, vraiment, on entendait partout *Tequila*, que c'était drôle de voir la jeunesse dorée limousine se trémousser sur l'air de *Tequila*. Comme ça, à première vue, je n'aurais pas facilement associé Limoges et *Tequila*. J'ai pensé à des choses plus ou moins importantes, au sujet de cette diffusion mécanique de la musique-marchandise, mais je n'ai pas l'intention d'essayer de reproduire quelles étaient ces pensées plus ou moins importantes. Les copains buvaient leur café, peut-être entendaient-ils *Tequila*, ils buvaient leur café, sans plus. Je me suis retourné une nouvelle fois, et alors j'ai remarqué le visage de cette toute jeune fille, crispé, les yeux fermés, masque extatique de *Tequila* devenu beaucoup plus que musique, devenu toute jeune fille perdue dans le monde sans limites du désespoir. J'ai bu une nouvelle gorgée de café, les copains ne disaient rien, moi non plus je ne disais rien, nous avions roulé sans arrêt depuis quatorze heures, mais tout à coup j'ai cessé d'entendre *Tequila* et j'ai entendu avec beaucoup de netteté la mélodie de *Star dust*, telle que la jouait, à la trompette, ce Danois qui faisait partie de l'orchestre de jazz qu'Yves avait créé au camp. Il n'y avait aucun rapport, bien entendu, c'est-à-dire, si, il y avait un rapport, car ce n'était pas la même musique, mais c'était le même univers de solitude, c'était le même folklore désespéré de l'Occident. Nous avons payé nos cafés, nous sommes sortis, il nous restait encore pas mal de route à faire. A Ascona, sous le soleil de l'hiver, à Ascona, devant l'horizon bleu du lac, c'est à cette halte dans la petite ville allemande que j'ai pensé.

Le gars de Semur avait dit : « Oh vieux, secoue-toi », juste avant que le train ne s'arrête dans cette petite gare allemande, je m'en suis souvenu. J'ai allumé une cigarette et je me suis demandé pourquoi ce souvenir remontait en surface. Il n'y avait aucune raison pour que ce souvenir remonte en surface, c'est peut-être pour cela qu'il remontait, comme un rappel aigu, au milieu de ce soleil d'Ascona, de ce bonheur vide et brumeux d'Ascona, un rappel poignant de l'épaisseur de ce passé, car c'est peut-être l'épaisseur de ce passé qui rendait vide et brumeux ce bonheur d'Ascona, tous les bonheurs possibles, désormais. Le fait est que le souvenir de la petite gare, le souvenir de mon copain de Semur, est remonté en surface. J'étais immobile, je dégustais mon café à toutes petites gorgées, une fois de plus, une fois encore blessé à mort par les souvenirs de ce voyage. Le gars de Semur avait dit : « Oh vieux, secoue-toi », et aussitôt après nous étions arrêtés dans cette gare allemande. A ce moment-là une jeune femme est venue à ma table, avec une belle bouche maquillée et des yeux clairs.

« Vous n'êtes pas le copain de Bob ? » m'a-t-elle demandé. Je n'étais pas le copain de Bob, bien entendu, comment pourrais-je être le copain de Bob ? « Non », je lui ai dit, « je m'en excuse ». « Dommage », a-t-elle dit, ce qui était assez énigmatique. « Vous avez perdu Bob ? » je lui demande. Alors, elle a ri. « Bob, vous savez, il n'y a pas moyen de le perdre », a-t-elle dit. Ensuite elle s'est assise sur le bord d'une chaise et a pris une de mes cigarettes, le paquet était sur la table. Elle était belle, bruissante, exactement ce qu'il me fallait pour oublier mon copain de Semur. Mais je n'avais pas envie d'oublier mon copain de Semur, à ce moment précis. Je lui ai donné

152

du feu, malgré tout, et j'ai regardé de nouveau l'horizon bleu du lac. Le gars de Semur avait dit : « En tout cas, on roule », ou quelque chose comme cela, et juste après le train a stoppé le long du quai désert de cette gare allemande. « Qu'est-ce que vous faites dans le coin? » a demandé la jeune femme. « Rien », je lui ai dit. Elle m'a regardé fixement et a hoché la tête. « Alors, c'est Pat qui aurait raison? » dit-elle. « Expliquez-moi ça », je lui demande, et pourtant je n'ai nulle envie de m'enliser dans une conversation avec elle. « Pat dit que vous êtes là, comme ça, pour rien, mais nous, on pense que vous cherchez quelque chose. » Je la regarde et je ne dis rien. « Bon », dit-elle, « je vous laisse. Vous habitez la maison toute ronde, au-dessus de Solduno, sur la colline de la Maggia ».« C'est une question? » je lui demande. « Mais non », dit-elle, « je sais ». « Alors? » je fais. « Je viendrai vous voir, un de ces jours », dit-elle. « Entendu », je lui dis, « un soir, plutôt ». Elle fait « oui » de la tête et se lève. « Mais n'en dites rien à Bob », ajoute-t-elle. Je hausse les épaules je ne connais pas Bob, mais elle est déjà partie. Je demande un autre café et je reste au soleil, au lieu de remonter à la maison pour travailler à mon livre. De toute façon, mon livre, je vais le finir parce qu'il faut le finir, mais je sais déjà qu'il ne vaut rien. Ce n'est pas encore maintenant que je pourrai raconter ce voyage, il faut attendre encore, il faut vraiment oublier ce voyage, après, peut-être, pourrai-je le raconter.

« En tout cas, on roule », avait dit le gars de Semur, et aussitôt après nous nous arrêtions dans cette gare allemande, je me souvenais de cela, à Ascona. Ensuite, il s'est passé un certain temps, des minutes ou des heures, je ne me souvenais plus, en tout cas un certain temps a passé, c'est-à-dire, rien ne s'est passé pendant un certain temps, simplement nous étions là, le long du quai désert, et les sentinelles faisaient des gestes vers nous, ils expliquaient sûrement aux gens accourus qui nous étions.

« Je me demande, ces boches, qu'est-ce qu'ils pensent de nous, comment ils nous voient », a dit le gars de Semur.

Il regarde cette gare allemande, et ces sentinelles allemandes et ces curieux Allemands, avec des yeux graves. En effet, c'est une question qui ne manque pas d'intérêt. Rien ne va changer pour nous, bien sûr, quelle que soit l'image que se fassent de nous ces Allemands massés derrière les vitres des salles d'attente. Ce que nous sommes, nous le serons, quel que soit le regard posé sur nous par ces badauds allemands. Mais enfin, nous sommes aussi ce qu'ils s'imaginent voir en nous. Nous ne pouvons pas totalement négliger leur regard, il nous découvre aussi, il met à jour aussi ce que nous pouvons être. Je regarde ces visages allemands, brouillés, derrière la vitre des salles d'attente et je me souviens de l'arrivée à Bayonne, il y a sept ans. Le chalutier avait accosté devant la grande place où il y avait des massifs de fleurs et des vendeurs de glaces à la vanille. Il y avait une petite foule d'estivants, derrière les barrages de gendarmes, pour nous voir débarquer. Ils nous voyaient comme des rouges espagnols, ces estivants, et cela nous étonnait, au premier abord, cela nous dépassait, et pourtant ils avaient raison, nous étions des rouges espagnols, j'étais déjà un rouge espagnol sans le savoir, et Dieu merci, ce n'est pas mal du tout d'être un rouge espagnol. Dieu merci, je suis toujours rouge espagnol et je regarde cette gare allemande parmi la brume de ma fatigue avec un regard de rouge espagnol.

« Ils nous voient comme des bandits, j'imagine, comme des terroristes », je dis au gars de Semur.

« En un sens », dit-il, « ils n'ont pas tout à fait tort ».

« Dieu merci », je fais.

Le gars de Semur sourit.

« Dieu merci », dit-il, « tu te rends compte, si on était à leur place ? »

Je me rends compte qu'on ne saurait peut-être pas qu'on est à leur place, c'est-à-dire, qu'on serait peut-être comme eux, mystifiés, convaincus du bon droit de notre cause.

« C'est-à-dire », je lui demande, « tu préfères qu'on soit où l'on est ? »

« Eh bien, je préférerais être à Semur, si tu veux tout savoir. Mais entre eux et nous, ces boches-là qui nous regardent et nous, j'aime autant être à notre place. »

Le soldat allemand d'Auxerre, lui aussi, je sentais bien que parfois il aurait préféré être à ma place. J'en ai connu d'autres, par contre, qui étaient très contents d'être où ils étaient, ils étaient sûrs d'avoir la bonne place. De Dijon à Compiègne, il y a huit jours, les deux sentinelles qu'il y avait dans notre compartiment, par exemple, n'avaient pas de doute sur cette question. C'étaient deux types dans la force de l'âge, bien nourris, ils s'amusaient à nous serrer les menottes le plus fort possible et à nous donner de grands coups de botte dans les jambes. Ils riaient de bon cœur, après ils étaient ravis d'être aussi forts. J'étais enchaîné à un Polonais, un homme d'une cinquantaine d'années, qui était absolument convaincu qu'on allait tous nous massacrer en cours de route. La nuit, chaque fois que le train s'arrêtait, il se penchait vers moi et chuchotait : « Ce coup-ci, ça y est, on y passe tous. » Au début, j'avais bien essayé de le raisonner, mais c'était inutile, il avait complètement perdu la tête. Une fois, au cours d'un long arrêt, j'ai senti son souffle haletant et il m'a dit : « Tu entends ? » Je n'entendais rien, bien sûr, c'est-à-dire rien d'autre que la respiration des copains qui sommeillaient. « Quoi ? » je lui demande. « Les cris », me dit-il. Non, je n'entendais pas les cris, il n'y avait pas de cris. « Quels cris ? » je lui demande. « Les cris de ceux qu'on massacre, là, sous le train. » Je n'ai plus rien dit, ce n'était plus la peine de rien dire. « Tu entends ? » me dit-il de nouveau, quelque temps après. Je ne réagis pas. Alors, il tire sur la chaîne qui nous lie ensemble, poignet contre poignet. « Le sang », dit-il, « tu n'entends pas le sang couler ? » Il avait une voix rauque, une voix déjà inhumaine. Non, je n'entendais pas le sang couler, j'entendais sa voix folle, je sentais mon sang à moi, qui se glaçait. « Sous le train », dit-il, « là, sous le train, des ruisseaux de sang, j'entends le sang couler ». Sa voix est montée d'un ton et l'un des soldats allemands a marmonné : « Ruhe, Scheiskerl », et il lui a flanqué un coup de crosse de fusil sur la poitrine. Le Polonais s'est recroquevillé sur la banquette, sa respiration est devenue sifflante, mais à ce moment le train s'est remis en marche et cela a dû le calmer un peu. Je me suis assoupi et dans mon demi-sommeil j'ai entendu sans cesse cette voix déjà inhumaine qui parlait du sang, des ruisseaux de sang. Encore aujourd'hui,

156

parfois j'entends cette voix, cet écho des terreurs ancestrales, cette voix qui parle du sang des massacrés, ce sang lui-même, visqueux, qui chante sourdement dans la nuit. Aujourd'hui encore, parfois, j'entends cette voix, cette rumeur du sang dans la voix tremblante sous le vent de la folie. Plus tard, à l'aube, j'ai été réveillé en sursaut. Le Polonais était debout, il hurlait je ne sais quoi aux soldats allemands, il bougeait son bras droit avec rage et l'acier de la menotte sciait littéralement mon poignet gauche. Les Allemands se sont mis alors à lui taper dessus, jusqu'au moment où il s'est effondré sans connaissance. Il avait le visage en sang et son sang avait rejailli sur moi. C'est vrai, maintenant j'entendais le sang couler, de longs ruisseaux de sang couler sur ses vêtements, sur la banquette, sur ma main gauche liée à lui par la menotte. Plus tard, ils l'ont détaché et ils l'ont traîné par les pieds dans le couloir du wagon et j'ai bien l'impression qu'il était mort.

Je regardais cette gare allemande, où il ne se passait toujours rien, je pensais que ça fait huit jours que je suis en route, avec cette brève halte à Compiègne. A Auxerre, ils nous ont tirés des cellules à 4 heures du matin, mais nous étions prévenus depuis la veille au soir. Huguette était passée me prévenir, elle m'avait chuchoté la nouvelle à travers la porte, lorsqu'elle remontait dans sa cellule, après son travail aux cuisines de la prison. Huguette, elle avait mis « La Souris » dans sa poche, elle circulait dans la prison et portait les nouvelles des uns aux autres. « Demain, à l'aube, il y a un départ pour l'Allemagne, tu en es », m'avait-elle chuchoté. Bon, ça y est, on va savoir comment ils sont, ces fameux camps. Le gars de la forêt d'Othe, il était triste. « Merde », a-t-il dit, « j'aurais bien voulu rester avec toi, qu'on fasse ce voyage ensemble ». Mais il ne faisait pas partie de ce transport, il restait avec Ramaillet, cette perspective ne le remplissait pas de joie. Ils nous ont sortis des cellules à 4 heures du matin, Raoul, Olivier, trois gars du groupe Hortieux et moi. On aurait dit que toutes les galeries étaient au courant, car il s'est fait aussitôt un brouhaha dans la prison, on nous appelait par nos prénoms et on nous criait au revoir. Ils nous ont mis dans le tortillard, jusqu'à Laroche-Migennes, enchaînés deux par deux. A Laroche, nous avons attendu sur le quai le train de Dijon. Nous étions entourés par six « feldgendarmes », mitraillette au poing, un pour chacun de nous, et il y avait en plus deux sous-officiers du « Sicherheitsdienst ». Nous étions groupés sur le quai et les voyageurs passaient et repassaient en silence devant nous. Il faisait froid, j'avais mon bras gauche tout engourdi, car ils avaient serré très fort la menotte et le sang ne circulait plus bien.

« On dirait que ça bouge », dit le gars de Semur.

Il était passé par la prison de Dijon quelques semaines avant moi. C'est à Dijon qu'ils rassemblent les déportés de toute la région, avant de les acheminer vers Compiègne.

Je regarde et en effet, on dirait que ça bouge.

« Qu'est-ce qu'on entend ? » demande quelqu'un derrière nous.

Le gars de Semur essaye de voir.

« On dirait qu'ils ouvrent les portes des wagons, là-bas », dit-il.

J'essaye de regarder aussi.

« On est arrivés, alors? dit une autre voix.

Je regarde et c'est vrai, ils font descendre les types d'un wagon, au bout du quai.

« Tu arrives à voir? » je demande.

« On dirait que les gars remontent dans le wagon, tout de suite après », dit-il.

Nous observons le mouvement sur le quai, pendant quelques minutes.

« Oui, ils doivent faire une distribution de jus, ou quelque chose comme ça ».

« Alors, dites, on est arrivés? », demande-t-on derrière nous.

« Ça n'en a pas l'air », dit le gars de Semur, « on dirait plutôt qu'ils font une distribution de jus, ou quelque chose comme ça. »

« Les gars, ils remontent dans les wagons? », demande-t-on.

« Oui, justement », je fais.

« Pourvu qu'on ait à boire, bon dieu », dit quelqu'un d'autre.

Ils ont commencé par la queue du convoi et ils remontent vers nous.

« On est trop loin, pour voir ce qu'ils distribuent », dit le gars de Semur.

« Pourvu que ce soit de l'eau », dit la même voix de tout à l'heure. Ça doit être un type qui a bouffé du saucisson, pendant tout le voyage, il a l'air assoiffé.

« On est trop loin, on ne voit pas », dit le gars de Semur.

Tout à coup, il y a du bruit, juste à côté de nous, et des sentinelles allemandes prennent position devant notre wagon. Ils ont dû commencer l'opération par les deux extrémités du convoi. Il y a un groupe de cuistots qui s'amènent avec de grands bidons et

159

un chariot à bagages rempli de gamelles blanches qui ont l'air d'être en faïence. On entend le bruit des cadenas et des barres de fer, et la porte coulissante du wagon s'ouvre en grand. Les gars, ils ne disent plus rien, ils attendent. Alors, il y a un S. S. trapu qui aboie je ne sais quoi et les gars qui sont le plus près de la porte commencent à sauter sur le quai.

« Ça ne doit pas être du jus qu'ils donnent », dit le gars de Semur, « dans des gamelles pareilles ».

On est entraînés par le mouvement vers la porte.

« Faudra se magner le train », dit le gars de Semur, « si on veut retrouver nos places près de la fenêtre ».

Nous sautons sur le quai et nous courons vers l'un des bidons devant lesquels les gars s'entassent en désordre. Le S. S. qui commande l'opération n'a pas l'air content. Il ne doit pas aimer ce désordre et ces cris. Il doit penser que les Français, vraiment, ce ne sont pas des gens disciplinés. Il hurle des ordres, il tape un peu au hasard sur l'échine des gars, avec une longue matraque en caoutchouc.

Nous prenons en vitesse une gamelle blanche, et c'est effectivement de la faïence, et nous la tendons au cuistot qui fait la distribution. Ce n'est pas du jus, ce n'est pas de l'eau, c'est une sorte de brouet marronnasse. Le gars de Semur porte la gamelle à sa bouche.

« Les vaches! » dit-il, « c'est salé comme l'eau de mer! »

Je goûte à mon tour et c'est vrai. C'est un brouet épais et salé.

« Tu sais pas? » dit le gars de Semur, « vaut mieux qu'on bouffe pas cette chierie. »

Je suis d'accord avec lui et nous allons poser nos gamelles pleines. Il y a un soldat allemand qui nous regarde faire avec des yeux ronds.

« Was ist denn los [1] ? », dit-il.

Je lui montre les gamelles et je lui dis :

« Viel zu viel Salz [2]. »

Il nous regarde repartir, l'air ahuri, et il hoche la tête. Il doit trouver que nous sommes bien difficiles.

Au moment où nous allions grimper de nouveau dans notre wagon, nous entendons un vacarme de coups de sifflet, de rires aigus, d'exclamations. Je me retourne, le gars de Semur aussi. Il y a un groupe de civils allemands qui ont pénétré sur le quai. Des hommes et des femmes. Ça doit être les personnalités du coin, auxquelles on a permis de venir voir le spectacle de plus près. Ils rient aux larmes, avec de grands gestes, et les femmes poussent des gloussements hystériques. Nous cherchons le motif de leur agitation.

« Eh bien, merde! » dit le gars de Semur.

C'est que les gars du deuxième wagon après le nôtre, ils sont tout nus. Ils sautent sur le quai en vitesse, en essayant de se couvrir de leurs mains, nus comme des vers.

« C'est quoi, ce cirque? » je demande.

Les Allemands, ils s'amusent bien. Les civils, surtout. Les femmes se rapprochent du spectacle de tous ces hommes nus, courant d'une façon grotesque sur le quai de la gare, et elles gloussent de plus belle.

« Ça doit être le wagon où il y a eu des évasions », dit le gars de Semur, « au lieu de leur enlever simplement les chaussures, ils les ont mis à poil ».

Ça doit être ça, sûrement.

1. Qu'est-ce qui se passe ?
2. Il y a trop de sel.

« Les salopes, elles se payent un jeton », dit le gars de Semur, dégoûté.

Puis nous grimpons dans le wagon. Mais il y a eu pas mal de gars qui ont dû faire comme nous, qui sont remontés en vitesse, et les places près des fenêtres sont déjà toutes occupées. Nous nous poussons quand même le plus près possible.

« Si c'est pas malheureux », dit-il, « se donner en spectacle comme ça ».

Si je comprends bien, c'est aux gars qui ont sauté tout nus sur le quai qu'il en veut. Au fond, il a raison.

« Tu te rends compte », dit-il, « sachant que ces salopards, ça doit les amuser, ils n'avaient qu'à rester dans leur wagon, bon dieu ».

Il hoche la tête, il n'est pas content du tout.

« Il y a des gens qui ne savent pas se tenir », conclut-il.

Il a raison, une fois encore. Quand on part pour un voyage comme ça, il faut savoir se tenir, et savoir à quoi s'en tenir. Et ce n'est pas seulement une question de dignité, c'est aussi une question pratique. Quand on sait se tenir et à quoi s'en tenir, on tient mieux. Il n'y a pas de doute, on tient mieux le coup. Plus tard, j'ai pu me rendre compte à quel point il avait raison, mon copain de Semur. Quand il a dit ça, dans cette gare allemande, j'ai pensé qu'il avait raison, en général, j'ai pensé qu'en effet, il faut savoir se tenir, dans un voyage pareil. Mais c'est plus tard seulement que j'ai réalisé toute l'importance pratique de cette question. J'ai souvent pensé au gars de Semur, plus tard, dans le Petit Camp de quarantaine quand je regardais vivre le Colonel. Le Colonel était une personnalité de la résistance gaulliste, à ce qu'il paraît, et ma foi, cela devait être vrai, car il a fait carrière depuis, il est devenu Général, j'ai lu son nom souvent dans la presse, et chaque fois, je souriais pour moi-même. Le Colonel, au camp de quarantaine, était devenu un clochard. Il ne savait vraiment pas se tenir, il ne se lavait plus, il était prêt à toutes les bassesses pour un rabiot de soupe puante. Plus tard, quand je voyais la photo du Colonel, devenu Général, publiée à l'occasion de quelque cérémonie officielle, je ne pouvais m'empêcher de penser au gars de Semur, à la vérité de ses paroles toutes simples. C'est bien vrai qu'il y a des gens qui ne savent pas se tenir.

Les gars remontent dans le wagon, maintenant. Sur le quai il y a des coups de sifflet, des voix qui crient des ordres, du vacarme. D'avoir pu bouger librement bras et jambes, ne fût-ce que pendant quelques brèves minutes, on dirait que les gars ont perdu l'habitude déjà prise d'être tassés les uns contre les autres. Ils protestent, ils crient : « Ne poussez pas, bon dieu ! » aux retardataires qui essayent de se frayer une place dans le magma des corps. Mais les retardataires, ils sont poussés dans le wagon à grands coups de botte et de crosse, il faut bien qu'ils se frayent une place. « Alors, merde », crient-ils, « on ne va pas rester sur le quai ». La porte coulissante se ferme à grand bruit, et le magma des corps s'agite encore quelques minutes, avec des grognements, de brusques éclats de colère aveugle. Puis, progressivement, le calme revient, les corps retrouvent leur imbrication, la masse des corps tassés dans l'ombre reprend sa vie haletante, et chuchotante, oscillante aux secousses du voyage.

Le gars de Semur est toujours de mauvaise humeur, à cause de ces types du deuxième wagon après le nôtre, qui se sont donnés en spectacle. Et je comprends son point de vue. Tant que ces Allemands, sur le quai de la gare, derrière les vitres des salles d'attente, tant qu'ils nous voyaient comme des bandits, comme des terroristes, ça pouvait aller. Car ils voyaient ainsi l'essentiel en nous, l'essentiel de notre vérité, c'est-à-dire, que nous étions les ennemis irréductibles de leur monde, de leur société. Le fait qu'ils nous prennent pour des criminels était accessoire. Leur bonne conscience mystifiée était accessoire. L'essentiel était précisément le caractère irréductible de nos rapports, le fait que nous soyons, eux et nous, les termes opposés d'un rapport indissoluble, que nous soyons la négation mutuelle les uns des autres. Qu'ils éprouvent de la haine pour nous, c'était normal, c'était même souhaitable, car cette haine donnait un sens clair à l'essentiel de notre action, à l'essence des actes qui nous avaient conduits dans ce train. Mais qu'ils aient pu s'esclaffer au spectacle grotesque de ces hommes nus, sautillant comme des singes à la recherche d'une gamelle de brouet dégueulasse, c'est cela qui était grave. Cela faussait les justes rapports de haine et d'opposition absolue entre eux et nous. Ces rires hystériques des femmes devant le spectacle des hommes nus bondissant sur le quai était comme un acide qui attaquait l'essence même de notre vérité. C'est donc avec raison que le gars de Semur était de mauvaise humeur.

« Et voilà », je dis, « le voyage continue ».

Le gars de Semur me regarda et il hoche la tête.

« On tiendra jusqu'au bout, vieux », me dit-il.

« Bien sûr, » je lui réponds.

« Jusqu'au bout du voyage, et encore après », dit-il.

« Bien sûr. »

Je le regarde et je suis persuadé qu'il tiendra, en effet. Il est solide, le gars de Semur, il a des idées claires sur les choses importantes, il tiendra. Des idées parfois un peu primitives, mais, vraiment, on ne peut pas lui en faire le reproche. Je le regarde et je suis persuadé qu'il tiendra. Pourtant, il va mourir. A l'aube de cette nuit prochaine, il va mourir. Il va dire : « Ne me laisse pas, vieux », et il va mourir.

A Ascona, deux ans plus tard, à peu près deux ans plus tard, je finis ma deuxième tasse de café, et je pense que c'est moche que le gars de Semur soit mort. Il n'y a plus personne à qui je puisse parler de ce voyage. C'est comme si j'avais fait tout seul ce voyage. Je suis tout seul, désormais, à me souvenir de ce voyage. La solitude de ce voyage va me ronger, qui sait, toute ma vie. Je paye et je m'en vais lentement, sur le quai d'Ascona, sous le soleil de l'hiver d'Ascona. Je traverse le pont, je marche vers Solduno. il va falloir que je m'en sorte tout seul, mon copain de Semur est mort.

La solitude, aussi, m'avait frappé en plein visage, au sortir de cette maison allemande, après que nous avions bu l'eau de la fontaine, sur la place de ce village allemand. Nous marchions de nouveau vers le camp, Haroux, Pierre, Diego et moi, nous marchions en silence, et nous n'avions toujours pas vu âme qui vive. Nous avions la perspective du camp devant nos yeux, maintenant, nous voyions le camp comme les paysans ont dû le voir, des années durant. Car ils ont vu le camp, bon dieu, ils l'ont vraiment vu, ils ont forcément vu ce qui s'y passait, même s'ils ne voulaient pas le savoir. Dans trois ou quatre jours, les Américains vont faire venir jusqu'au camp des groupes entiers d'habitants de Weimar. Ils vont leur montrer les baraques du camp de quarantaine, où les invalides continuent de mourir dans la puanteur. Ils vont leur montrer le crématoire, le block où les médecins S. S. faisaient des expériences sur les détenus, ils vont leur montrer les abat-jour en peau humaine de Mme Ilse Koch, les ravissants abat-jour parcheminés où se dessinent les lignes bleues des tatouages sur la peau humaine. Alors, les femmes de Weimar, avec leurs toilettes de printemps, et les hommes de Weimar, avec leurs lunettes de professeurs et d'épiciers, vont se mettre à pleurer, à crier qu'ils ne savaient pas, qu'ils ne sont pas responsables. Je dois dire, le spectacle m'a soulevé le cœur, je suis parti me réfugier dans un coin solitaire, je me suis enfui pour enfoncer mon visage dans l'herbe du printemps, parmi les rumeurs du printemps dans les arbres.

Sigrid non plus ne savait pas, ou peut-être, plutôt, ne voulait-elle pas savoir. Je la voyais, dans les bistrots du quartier, on échangeait quelques mots, je crois bien qu'elle posait pour des revues de mode. Et j'avais oublié les femmes de Weimar, dans leurs robes de printemps, massées devant le block 50, écoutant l'officier américain leur expliquer les plaisirs d'Ilse Koch, avant de les faire entrer pour voir les tatouages délicats sur la peau humaine, parcheminée, des abat-jour que collectionnait Mme Ilse Koch. Je crois bien que j'avais tout oublié, et je regardais Sigrid, à l'occasion, dans les bistrots du quartier, et je la trouvais belle. Un soir, pourtant, nous nous sommes trouvés à la même table, et justement, ce soir là, j'avais eu l'impression de m'éveiller d'un rêve, comme si la vie, depuis le retour de ce voyage, dix ans auparavant, n'avait été qu'un rêve. Peut-être avais-je trop bu, m'étant éveillé de ce rêve qu'était la vie, depuis le retour de ce voyage. Peut-être n'avais-je pas encore trop bu, quand j'ai remarqué Sigrid, à la même table, mais il était à prévoir que j'allais trop boire. Ou peut-être, tout simplement, la boisson n'avait-elle rien à faire, là-dedans, peut-être ne fallait-il chercher aucune raison extérieure, accidentelle, à cette angoisse qui surgissait de nouveau. Quoi qu'il en soit, je buvais un verre, j'entendais le brouhaha des conversations et j'ai vu Sigrid.

« Gute Nacht, Sigrid, lui dis-je, wie geht's mit Dir? »

Elle a les cheveux courts et des yeux verts. Elle me regarde, étonnée.

« Du sprichst Deutsch? » dit-elle.

Je souris; bien sûr que je sais l'allemand.

« Selbstverständlich », lui dis-je.

Ce n'est pas évident, que je parle l'allemand, mais enfin, je lui dis, que c'est évident.

« Wo hast Du's gelernt? » demande la fille.

« Im Kazett. »

Ce n'est pas vrai que j'ai appris l'allemand au camp, je le savais avant, mais enfin, j'ai envie d'embêter cette fille.

« Wo denn? » dit-elle, surprise. Elle n'a visiblement pas compris.

Elle ne sait visiblement pas que ces deux initiales, K, Z, désignaient les camps de concentration de son pays, que c'est comme ça que les désignaient les hommes de son pays qui y avaient passé dix ans, douze ans. Peut-être n'a-t-elle jamais entendu parler de tout ça.

« Im Konzentrationslager. Schon davon gehört ? »
lui dis-je.

Je lui demande si elle a entendu parler des camps
de concentration et elle me regarde, attentivement.
Elle prend une cigarette et l'allume.

« Qu'est-ce qui t'arrive ? » dit-elle, en français.

« Rien. »

« Pourquoi poses-tu ces questions ? »

« Pour savoir », lui dis-je.

« Pour savoir quoi ? »

« Tout. C'est trop facile de ne pas savoir », lui
dis-je.

Elle fume et ne dit rien.

« Ou de faire semblant de ne pas savoir. »

Elle ne dit rien.

« Ou d'oublier, c'est trop facile d'oublier. »

Elle fume.

« Tu pourrais être la fille du Dr Haas, par exemple », lui dis-je.

Elle secoue la tête.

« Je ne suis pas la fille du Dr Haas », dit-elle.

« Mais tu pourrais être sa fille. »

« Qui c'est le Dr Haas ? » demande-t-elle.

« J'espère que c'était. »

« Qui c'était, alors, le Dr Haas ? »

« Un type de la Gestapo », dis-je.

Elle écrase sa cigarette à moitié consumée et me
regarde.

« Pourquoi tu me traites comme ça ? » dit-elle.

« Je ne te traite pas, je te demande. »

« Tu crois que tu peux me traiter comme ça ? » dit-
elle.

« Je ne crois rien, je te demande. »

Elle reprend une cigarette et l'allume.

« Vas-y », dit-elle. Et elle me regarde dans les yeux.

« Ton père n'est pas le Dr Haas ? »

« Non », répond-elle.

« Il n'a pas été dans la Gestapo ? »

« Non », dit-elle.

Elle ne détourne pas son regard.

« Peut-être dans les Waffen-S. S. », lui dis-je.

« Non plus. »

Alors, je ris, je ne peux m'empêcher de rire.

« Il n'a jamais été nazi, bien sûr », lui dis-je.

« Je ne sais pas. »

J'en ai assez, tout à coup.

« C'est vrai, dis-je, vous ne savez rien. Personne ne sait plus rien. Il n'y a jamais eu de Gestapo, jamais de Waffen-S. S., jamais de " Totenkopf ". J'ai dû rêver. »

Ce soir je ne sais plus si j'ai rêvé tout cela, ou bien si je rêve, depuis que tout cela n'est plus.

« Ne réveillez pas cette nuit les dormeurs », dis-je.

« C'est quoi ? » demande Sigrid.

« C'est un poème. »

« Un poème très court, tu ne trouves pas ? » dit-elle.

Alors, je lui souris.

« Die deutsche Gründlichkeit, die deutsche Tatsächlichkeit [1]. Et merde pour les vertus allemandes. »

Elle rougit légèrement.

« Tu as bu », dit-elle.

« Je commence. »

« Pourquoi moi ? » demande-t-elle.

« Toi ? »

« Pourquoi contre moi ? » précise-t-elle.

---

1. Le sérieux allemand, la positivité allemande.

Je bois une gorgée du verre qu'on vient de me remplacer.

« Parce que tu es l'oubli, parce que ton père n'a jamais été nazi, qu'il n'y a jamais eu de nazis. Parce qu'ils n'ont pas tué Hans. Parce qu'il ne fallait pas réveiller cette nuit les dormeurs. »

Elle secoue la tête.

« Tu vas trop boire », dit-elle.

« Je ne bois jamais assez. »

Je finis mon verre et j'en commande un autre.

Il y a des gens qui entrent et qui sortent, des filles qui rient trop fort, de la musique, des bruits de verre, c'est une vraie cohue, ce rêve où on se retrouve quand on vous réveille. Il va falloir faire quelque chose.

« Tu es triste pourquoi? » demande Sigrid.

Je hausse les épaules.

« Je ne suis jamais triste, dis-je. Qu'est-ce que ça veut dire, triste? »

« Eh bien, malheureux. »

« Qu'est-ce que ça veut dire, le bonheur? »

« Malheureux, je n'ai pas dit heureux, mais malheureux », dit-elle.

« C'est la même chose, non? »

« Pas du tout. »

« A l'envers, la même chose à l'envers, je veux dire. »

« Pas du tout », dit Sigrid.

« Tu me surprends, Sigrid. Tu n'es pas la fille du Dr Haas et tu en sais des choses. »

Mais elle ne se laisse pas détourner de son propos.

« Ce n'est pas l'envers et l'endroit, dit Sigrid. C'est plein de choses différentes, le bonheur, le malheur. »

« C'est quoi, le bonheur, Sigrid? » et je me demande

quand je pose cette question, si je saurais dire ce qu'est le bonheur, vraiment.

Elle aspire la fumée de sa cigarette et elle réfléchit

« C'est quand on réalise qu'on existe, réellement », dit-elle.

Je bois une gorgée d'alcool et je la regarde.

« C'est quand la certitude d'exister devient tellement aiguë qu'on a envie de crier », dit-elle.

« Peut-être, » dis-je, de douleur.

Le regard des yeux verts sur moi est plein d'étonnement. Comme si elle n'arrivait pas à imaginer que la certitude d'exister, dans toute sa plénitude, puisse avoir un rapport quelconque, de quelque ordre que ce soit, avec la douleur d'exister.

« Le dimanche, par exemple », lui dis-je.

Elle attend la suite, qui ne viendra pas.

« Warum am Sonntag? » insiste-t-elle.

Peut-être est-ce vrai qu'elle ne sait rien, peut-être est-ce vrai qu'elle ne soupçonne pas la réalité des dimanches, au bout du petit bois, devant les barbelés électrifiés, le village sous ses fumées calmes, la route qui tourne et la plaine de Thuringe, verte et grasse.

« Viens danser, je t'expliquerai après ce qu'est le bonheur. »

Alors, elle se lève et sourit, en hochant la tête.

« Tu ne dois pas savoir, toi », dit-elle.

« Quoi donc? »

« Le bonheur, dit-elle, comment c'est. »

« Pourquoi? »

« Tu ne dois pas savoir, c'est tout. »

« Mais si, c'est la vallée de la Moselle. »

« Tu vois, dit Sigrid, tu es tout le temps à te souvenir. »

« Pas tout le temps. Tout le temps, j'en suis plutôt à oublier. »

« Ça ne fait rien, dit-elle, tu te souviens, tu oublies, mais c'est le passé qui compte. »

« Et alors ? »

Nous marchons vers la partie de la salle où l'on danse.

« Le bonheur, je t'ai dit déjà, c'est toujours le présent, au moment même. »

Elle est dans mes bras et nous dansons et j'ai envie de rire.

« Tu es réconfortante. »

Elle est dans mes bras et c'est le présent et je pense qu'elle a dû quitter son pays, sa famille, à cause certainement du poids de ce passé dont elle ne veut rien assumer, pas la moindre parcelle, ni pour le bien, ni pour le mal, ni pour la revanche, ni pour l'exemple, que tout simplement elle essaye d'abolir à travers une infinie succession de gestes sans lendemain, de jours sans racines dans aucun terreau nourri de faits anciens, rien que les jours, les nuits, les uns derrière les autres, et ici, bien sûr, dans ces bars, parmi ces gens futilement déracinés, personne ne lui demande des comptes, personne n'exige la vérité de son passé, du passé de sa famille, de son pays, elle pourrait être, en toute innocence, la fille du Dr Haas, qui pose pour des revues de modes, qui danse le soir et vit dans le bonheur, la certitude aiguë, c'est-à-dire d'exister.

« Tu connais Arosa ? »

Elle secoue la tête, négativement.

« C'est en Suisse, lui dis-je, dans la montagne. »

« C'est toujours dans la montagne, en Suisse », dit-elle, avec une moue désabusée.

Je dois reconnaître que c'est ainsi.

« Alors ? » dit-elle.

« Il y a un chalet, à Arosa, dans la montagne, avec une belle inscription en lettres gothiques, sur la façade. »

Mais Sigrid n'a pas l'air de s'intéresser particulièrement à l'inscription multicolore, en lettres gothiques, sous le soleil des montagnes, à Arosa.

« Glück und Unglück, beides trag in Ruh' — alles geht vorüber und auch Du [1]. »

« C'est ça, ton inscription ? » demande-t-elle.

« Oui. »

« Je n'aime pas. »

La musique s'est arrêtée et nous attendons qu'on mette un autre disque sur l'électrophone.

« Le bonheur, dit Sigrid, peut-être qu'il faut le prendre calmement, et encore, ce n'est pas du tout sûr. Il faut plutôt s'y accrocher, ça n'a rien de calme. Mais le malheur ? Comment pourrait-on supporter le malheur dans le calme ? »

« Je ne sais pas, dis-je, c'est l'inscription. »

« C'est idiot. Et dire que tout passe, tu ne trouves pas que ce n'est rien dire du tout ? »

« Tu n'aimes pas cette noble pensée, ça se voit. »

« Non, c'est faux ton truc », dit-elle.

« Ce n'est pas mon truc ; c'est une belle inscription gothique, à Arosa, sous le soleil des montagnes. »

Nous dansons de nouveau.

« En vérité, c'est plutôt tout le contraire. »

« On peut essayer », lui dis-je.

« Essayer quoi ? »

« Essayer de renverser cette noble pensée, voir ce que ça donne. »

1. Bonheur et malheur, prends-les calmement — car tout passe et même toi.

173

Nous dansons lentement et elle sourit.

« D'accord », dit-elle.

« Glück und Unglück, beides trag in Unruh' — alles bleibt in Ewigkeit, nicht Du [1]. Voilà ce que ça donnerait. »

Elle réfléchit et fronce le sourcil.

« Ça ne me plaît pas non plus », dit-elle.

« Alors ? »

« Alors, rien. Le contraire d'une connerie, ce n'est jamais qu'une autre connerie. »

Nous rions, ensemble.

Quand cette soirée sera finie et que je me souviendrai de cette soirée où, tout à coup, le rappel aigu de ce passé si bien oublié, si parfaitement enfoui dans ma mémoire, m'a réveillé du rêve qu'était ma vie, quand j'essayerai de raconter cette soirée confuse, traversée d'événements, peut-être futiles, mais remplis pour moi de signification, je vais réaliser que la jeune Allemande aux yeux verts, Sigrid, prend un relief particulier dans le récit, je vais réaliser que Sigrid, insensiblement, dans mon récit devient le pivot de cette soirée, de cette nuit, ensuite. Sigrid, dans mon récit, va prendre un relief particulier, peut-être tout naturellement parce qu'elle est, de toutes ses forces elle essaye d'être, l'oubli de ce passé qui ne peut s'oublier, la volonté d'oublier ce passé que rien ne pourra jamais abolir, mais que Sigrid rejette d'elle, de sa vie, de toutes les vies autour d'elle, avec son bonheur de chaque instant présent, sa certitude aiguë d'exister, opposée à l'aiguë certitude de la mort que ce passé fait suinter comme une résine

---

[1]. Bonheur et malheur, prends-les dans l'inquiétude — car tout est éternel, sauf toi.

âpre et tonifiante. Peut-être ce relief, cette pointe sèche soulignant le personnage de Sigrid dans le récit que j'aurai, le cas échéant, à faire de cette soirée, cette importance tout à coup, obsédante, de Sigrid, ne provient-elle que de l'extrême tension, brûlante, qu'elle personnifie, entre le poids de ce passé et l'oubli de ce passé, comme si son visage lisse et lavé par des siècles de pluie lente et nordique, l'ayant poli, modelé doucement, son visage éternellement frais et pur, son corps exactement adapté à l'appétit de perfection juvénile qui tremble au fond de chacun, et qui devait provoquer chez tous les hommes ayant des yeux pour voir, c'est-à-dire, des yeux réellement ouverts, réellement disposés à se laisser envahir par la réalité des choses existantes, provoquer chez eux tous une hâte désespérée de possession, comme si ce visage et ce corps, reproduits des dizaines, qui sait, des milliers de fois par les revues de mode n'étaient là que pour faire oublier le corps et le visage d'Ilse Koch, ce corps trapu et droit, planté tout droit sur des jambes droites, fermes, ce visage dur et net, incontestablement germanique, ces yeux clairs, comme ceux de Sigrid (mais ni la photographie, ni les bandes d'actualités tournées à ce moment-là et depuis lors reprises, montées de nouveau dans certains films, ne permettaient de voir si les yeux clairs d'Ilse Koch étaient, comme ceux de Sigrid, verts, ou bien clairs d'un bleu clair, ou d'un gris d'acier, plutôt d'un gris d'acier), ces yeux d'Ilse Koch posés sur le torse nu, sur les bras nus du déporté qu'elle avait choisi pour amant, quelques heures plus tôt, son regard découpant déjà cette peau blanche et malsaine selon le pointillé du tatouage qui l'avait attirée, son regard imaginant déjà le bel effet de ces lignes bleuies, ces fleurs ou ces voiliers, ces serpents, ces algues marines, ces longues chevelures de femmes, ces roses des vents, ces vagues marines, et ces voiliers, encore ces voiliers déployés comme des mouettes glapissantes, leur bel effet sur la peau parcheminée, ayant acquis par quelque traitement chimique une teinte ivoirine, des abat-jour recouvrant toutes les lampes de son salon, où, le soir tombé, là même où elle avait fait entrer, souriante, le déporté choisi comme instrument de plaisir, doublement, dans l'acte même du plaisir, d'abord, et ensuite pour le plaisir bien plus durable de sa peau parcheminée, convenablement traitée, ivoirine, zébrée par les lignes bleutées du tatouage donnant à l'abat-jour un cachet inimitable, là même, étendue sur un divan, elle rassemblait les officiers de la Waffen-S. S., autour de son mari, le commandant du camp, pour écouter l'un d'entre eux jouer au piano quelque romance, ou bien un vrai morceau de piano, quelque chose de sérieux, un concerto de Beethoven, qui sait ; comme si le rire de Sigrid, que je tenais dans mes bras, n'était là, tellement jeune, tellement gonflé de promesses, que pour effacer, pour faire rentrer dans l'oubli définitif cet autre rire d'Ilse Koch dans le plaisir, dans le double plaisir de l'instant même et de l'abat-jour qui resterait en témoignage, comme les coquillages ramenés d'un week-end à la mer, ou les fleurs séchées, en souvenir de ce plaisir de l'instant même.

Mais au moment où cette soirée commence, quand nous n'avons pas encore rencontré François et les autres, quand nous ne les avons pas encore rejoints pour aller ensemble dans une autre boîte, je ne sais pas encore que Sigrid pourrait prendre une telle importance dans le récit que j'aurais à faire de cette soirée. En fait, je n'en suis pas encore à me demander à qui je pourrais faire le récit de cette soirée. Je tiens Sigrid dans mes bras et je pense au bonheur. Je pense que jamais encore, jamais jusqu'à présent, je n'ai fait quoi que ce soit, je n'ai décidé quoi que ce soit, en fonction du bonheur, ou du malheur, que cela pourrait me rapporter. Cette idée même me ferait rire, qu'on me demande si j'avais pensé au bonheur que tel acte décidé par moi pourrait me procurer, comme s'il y avait une réserve de bonheur, quelque part, une sorte de dépôt de bonheur sur lequel on puisse tirer des traites, peut-être, comme si le bonheur n'était pas quelque chose qui vienne, par surcroît, même au milieu de la plus grande détresse, du plus terrible dénuement, après qu'on a accompli ce que, précisément, il fallait accomplir.

Et peut-être le bonheur n'est-il que ce sentiment qui m'est venu, après que j'eus fui le spectacle des femmes de Weimar, massées devant le bloc 50, larmoyantes, quand j'ai enfoncé mon visage dans l'herbe du printemps, sur l'autre versant de l'Ettersberg, parmi les arbres du printemps. Il y avait le silence et les arbres, infiniment. Les rumeurs du silence et du vent dans les arbres, une marée de silence et de rumeurs. Et puis ce sentiment m'est venu, dans mon angoisse, mêlé à mon angoisse, mais distinct, comme un chant d'oiseau mêlé au silence, que sans doute j'avais fait ce qu'il fallait faire de mes vingt ans, et qu'il me restait encore, peut-être, une ou deux fois vingt ans pour continuer à faire ce qu'il faut faire.

Au sortir de cette maison allemande, aussi, je me

suis couché dans l'herbe et j'ai regardé longuement le paysage de l'Ettersberg.

C'est à l'entrée du village que se dressait cette maison, un peu isolée.

J'ai remarqué cette maison quand nous remontions vers le camp, Haroux, Diego, Pierre et moi. C'était une maison assez cossue. Mais ce qui m'a frappé, m'immobilisant sur place, c'est que, située comme elle l'était, de ses fenêtres on devait avoir une vue parfaite sur l'ensemble du camp. J'ai regardé les fenêtres, j'ai regardé le camp, et je me suis dit qu'il fallait que j'entre dans cette maison, qu'il fallait que je connaisse les gens qui y avaient habité, toutes ces années durant.

« Eh ! » j'avais crié aux autres, « je reste là, moi ».

« Comment, tu restes là ? » a demandé Pierre, en se retournant.

Les deux autres se sont retournés aussi et me regardent.

« Je reste là », je dis, « je vais visiter cette maison ».

Tous les trois, ils regardent la maison et me regardent.

« Qu'est-ce qui te prend, encore ? » demande Haroux.

« Il ne me prend rien », je dis.

« T'as vu une fille, à la fenêtre ? » demande Pierre, goguenard.

Je hausse les épaules.

« Alors, bon dieu », dit Haroux, « si tu ne veux pas violer une fille, qu'est-ce que tu cherches, dans cette maison ? »

J'allume une cigarette et je regarde la maison, je regarde le camp. Diego suit mon regard et il sourit en coin, à son habitude.

« Bueno, Manuel, y qué [1] ? » demande-t-il.

« Has visto [2] ? »

« He visto », dit-il, « y qué le vas a hacer [3] ? »

« Dites donc, vous », crie Haroux, « vous ne pourriez pas causer comme tout le monde, qu'on vous comprenne ? »

« Ne sois pas chauvin », fait Diego, « tout le monde ne parle pas français, tu entends ? »

« Mais nous, on est là », dit Haroux, « et on voudrait bien comprendre ».

« Écoute, écoute », dit Diego, « tu sais combien de millions de personnes parlent l'espagnol ? »

« Dis, tu charries », fait Haroux, « tu vas me faire la leçon ? »

Diego, il rit.

« Non », dit-il, « c'est juste pour mettre au point. Tout le monde ne parle pas français ».

« Et alors ? » demande Pierre, « pourquoi qu'il veut visiter cette maison, Gérard ? »

Diego hausse les épaules.

« Demande-lui », il fait.

Alors, Pierre, il me demande :

« Pourquoi tu veux visiter cette maison, au juste ? »

« Vous avez vu comment elle est située ? » je leur dis.

Ils regardent la maison et ils se retournent ensuite, pour regarder le camp.

« Bon dieu ! » s'écrie Haroux, « on peut pas dire, ils étaient aux premières loges. »

Pierre hoche la tête et ne dit rien. Il me regarde.

« Mais ça t'avance à quoi ? » demande Haroux.

1. Bon, Manuel et alors ?
2. Tu as vu ?
3. J'ai vu, qu'est-ce qu'on peut y faire ?

Je ne sais pas. En vérité, je ne sais pas du tout à quoi ça m'avance.

« Comme ça », je dis, « je vais jeter un coup d'œil ».

« Si ça t'amuse », fait Haroux, en haussant les épaules.

« Non », je dis, « ça ne m'amuse pas du tout ».

Diego me regarde et il sourit de nouveau.

« Bueno », dit-il, « luego nos vemos, Manuel [1]. Allons-y, les gars, il nous racontera. »

Ils font un vague signe de la main et ils s'en vont.

Alors, je me rapproche de la maison. Je pousse la barrière qui entoure le jardinet, sur le devant de la maison. Elle est ouverte et je rentre. Au bout d'une allée, je monte trois marches et je frappe à la porte de la maison.

Personne ne vient, d'abord. Alors, je tape sur la porte à grands coups de poing, je tape sur le bas de la porte à grands coups de botte. Au bout d'un instant, j'entends une voix de femme, derrière la porte.

« Aufmachen », je crie, « los aufmachen! »

Je réalise que je suis en train de gueuler comme un S. S. « Los », c'était le mot-clef du langage S. S. J'ai envie de tout laisser tomber et de courir derrière les copains, pour les rattraper. Mais c'est trop tard, la porte s'est entrouverte. Il y a une femme âgée, aux cheveux presque gris, qui se tient dans l'entre-bâillement de la porte, et qui m'observe d'un air préoccupé. On ne dirait pas qu'elle a peur, simplement un air préoccupé, interrogateur.

« Ich bin allein », dit-elle. Je suis toute seule.

« Ich auch. » Moi aussi je suis tout seul.

Elle regarde ma tenue et demande ce que je veux.

1. Bon, on se verra tout à l'heure, Manuel.

180

« Ich möchte das Haus besuchen. » Je lui dis que je voudrais visiter sa maison, qu'elle n'a rien à craindre de moi. Simplement, visiter sa maison.

Elle n'a pas l'air d'avoir peur, elle se demande simplement pourquoi je veux visiter sa maison, mais finalement elle ouvre la porte et me laisse entrer.

Je traverse lentement les pièces du rez-de-chaussée, avec la femme sur mes talons. Elle ne dit plus rien, je ne dis plus rien, je regarde ces pièces banales d'une quelconque maison de campagne. Ce n'est pas exactement une maison de paysans, c'est une maison de gens qui habitent la campagne, je me demande ce que font les habitants de cette maison, dans la vie.

En vérité, les pièces du rez-de-chaussée ne m'intéressent pas. Car c'est du premier étage qu'on doit avoir une belle vue sur le camp. Sûrement, une vue imprenable. Je passe rapidement d'une pièce à l'autre, la femme aux cheveux gris sur mes talons. Je cherche l'escalier qui doit mener au premier étage. Je trouve cet escalier et je monte au premier étage. La femme s'est arrêtée un instant, au bas des marches, et elle me regarde monter. Elle doit se demander ce que je veux, c'est sûr. Elle ne comprendrait d'ailleurs pas, si je lui expliquais que je veux simplement voir. Regarder, je ne cherche rien d'autre. Regarder du dehors cet enclos où nous tournions en rond, des années durant. Rien d'autre. Si je lui disais que c'est cela que je veux, simplement cela, elle ne comprendrait pas. Comment pourrait-elle comprendre? Il faut avoir été dedans, pour comprendre ce besoin physique de regarder du dehors. Elle ne peut pas comprendre, personne du dehors ne peut comprendre. Je me demande vaguement, en montant l'escalier vers le premier étage de la maison, si cela ne veut pas

181

dire que je suis un peu dérangé, ce besoin de regarder du dehors le dedans où nous avons tourné en rond. Peut-être ai-je un peu perdu les pédales, comme on dit. Cette possibilité n'est pas exclue. Peut-être est-ce pour cela que Diego a eu son sourire en coin. Laissons-le assouvir cette petite manie, a-t-il peut-être voulu dire, avec son sourire en coin. Cela ne me préoccupe pas, pour l'instant. J'ai envie de regarder du dehors, ce n'est pas bien grave. Cela ne peut faire de mal à personne. C'est-à-dire, cela ne peut faire de mal qu'à moi-même.

J'arrive en haut des marches et j'hésite devant les trois portes qui donnent sur le palier. Mais la femme aux cheveux gris m'a rattrapé et elle s'avance. Elle pousse l'une des portes.

« Das ist die Wohnstube [1] », dit-elle.

Je lui ai dit que je voulais visiter sa maison, alors elle me fait visiter sa maison. Elle pousse une porte et me dit que voici la salle de séjour. Elle est bien serviable, la femme aux cheveux gris.

Je pénètre dans la salle de séjour et c'est bien ça, c'est bien ce que j'attendais. Mais non, si je suis sincère je dois dire que tout en m'attendant à ceci, j'espérais que ce serait autrement. C'était un espoir insensé, bien entendu, car à moins d'effacer le camp, à moins de le rayer du paysage, ça ne pouvait être autrement. Je m'approche des fenêtres de la salle de séjour et je vois le camp. Je vois, dans l'encadrement même de l'une des fenêtres, la cheminée carrée du crématoire. Alors, je regarde. Je voulais voir, je vois. Je voudrais être mort, mais je vois, je suis vivant et je vois.

1. Voici le salon.

La femme aux cheveux gris, derrière moi, parle :
« Eine gemütliche Stube, nicht wahr [1] ? »

Je me retourne vers elle, mais je n'arrive pas à la voir, je n'arrive pas à fixer son image, ni à fixer l'image de cette pièce. Comment peut-on traduire « gemütlich » ? J'essaye de me raccrocher à ce tout petit problème réel, mais je n'y arrive pas, je glisse sur ce tout petit problème réel, je glisse dans le cauchemar cotonneux et coupant où se dresse, juste dans l'encadrement d'une des fenêtres, la cheminée du crématoire. Si Hans était ici, à ma place, quelle serait la réaction de Hans ? Il ne se laisserait sûrement pas sombrer dans ce cauchemar.

« Le soir », je demande, « vous vous teniez dans cette pièce ? »

Elle me regarde.

« Oui », dit-elle, « on se tient dans cette pièce ».

« Vous habitez ici depuis longtemps ? » je demande.

« Oh oui ! » dit-elle, « depuis très longtemps ».

« Le soir », je lui demande, mais en vérité ce n'est pas une question, car il ne peut y avoir de doute là-dessus, « le soir, quand les flammes dépassaient de la cheminée du crématoire, vous voyiez les flammes du crématoire ? »

Elle sursaute brusquement et porte une main à sa gorge. Elle fait un pas en arrière et maintenant elle a peur. Elle n'avait pas eu peur jusqu'à présent, mais à présent elle a peur.

« Mes deux fils », dit-elle, « mes deux fils sont morts à la guerre ».

Elle me jette en pâture les cadavres de ses deux fils, elle se protège derrière les corps inanimés de ses

1. Une pièce confortable, n'est-ce pas ?

deux fils morts à la guerre. Elle essaye de me faire croire que toutes les souffrances se valent, que toutes les morts pèsent du même poids. Au poids de tous mes copains morts, au poids de leurs cendres, elle oppose le poids de sa propre souffrance. Mais toutes les morts ne pèsent pas le même poids, bien entendu. Aucun cadavre de l'armée allemande ne pèsera jamais ce poids de fumée d'un de mes copains morts.

« J'espère bien, j'espère bien qu'ils sont morts. »

Elle recule encore d'un pas et se trouve adossée au mur.

Je vais partir. Je vais quitter cette pièce — comment traduit-on « gemütlich » ? — je vais retrouver la lumière du printemps, je vais retrouver les copains, je vais rentrer dans mon enclos, je vais essayer de parler avec Walter, ce soir, ça fait douze ans qu'il est enfermé, ça fait douze ans qu'il mâche tout doucement le pain noir des camps avec sa mâchoire fracassée par la Gestapo, ça fait douze ans qu'il partage le pain noir des camps avec ses copains, ça fait douze ans qu'il a ce sourire invincible. Je me souviens de Walter, ce jour où nous écoutions à la radio les nouvelles de la grande offensive soviétique, la dernière offensive, celle qui allait déferler jusqu'au cœur même de l'Allemagne. Je me souviens que Walter pleurait de joie, car cette défaite de son pays pouvait être la victoire de son pays. Il pleurait de joie car il savait que maintenant il pouvait mourir. C'est-à-dire, maintenant il avait non seulement des raisons de vivre, mais aussi d'avoir vécu. En 39, en 40, en 41, les S. S. les rassemblaient sur la place d'appel, pour qu'ils écoutent, au garde-à-vous, les communiqués de victoire de l'État-major nazi. Alors, Walter me l'avait dit, ils serraient les dents, ils se

juraient de tenir jusqu'au bout, quoi qu'il arrive.
Voilà, ils avaient tenu. La plupart d'entre eux
étaient morts et même les survivants étaient blessés
à mort, ils ne seront jamais des vivants comme les
autres, mais ils avaient tenu. Walter pleurait de joie,
il avait tenu, il avait été digne de lui-même, de cette
conception de la vie qu'il avait choisie, il y a si longtemps, dans une usine de Wuppertal. Il fallait que je
trouve Walter, ce soir, il fallait que je parle avec lui.

La femme aux cheveux gris est adossée au mur et
me regarde.

Je n'ai pas la force de lui dire que je comprends sa
douleur, que je respecte sa douleur. Je comprends
que la mort de ses deux fils soit pour elle la chose la
plus atroce, la chose la plus injuste. Je n'ai pas la
force de lui dire que je comprends sa douleur, mais
que je suis heureux que ses deux fils soient morts,
c'est-à-dire, je suis heureux que l'armée allemande
soit anéantie. Je n'ai plus la force de lui dire tout
cela.

Je passe devant elle, et je dévale l'escalier, je cours
dans le jardin, je cours sur la route, vers le camp, vers
les copains.

« Mais non », dit le gars de Semur, « tu ne m'as
jamais parlé de cette histoire ».

J'étais persuadé de lui en avoir parlé, pourtant.
Depuis que le train a quitté cette gare allemande,
nous roulons à bonne allure. Le gars de Semur et
moi, on en est venus à nous raconter nos souvenirs
du maquis, à Semur, précisément.

« Je ne t'ai pas raconté l'histoire de la moto ? » je
lui demande.

« Mais non, vieux », dit-il.

Alors, je lui raconte et il se souvient très bien de

cette moto, en effet, qui était restée dans la scierie, la nuit où les Allemands les ont surpris.

« Vous étiez dingues », dit-il, quand je lui explique comment on a été la chercher, cette moto, Julien et moi.

« Qu'est-ce que tu veux, ça lui faisait mal au ventre à Julien, qu'elle soit perdue, cette moto. »

« Complètement dingues », dit-il, « qui c'est, ce Julien ? »

« Je t'en ai déjà parlé. »

« Le gars de Laignes ? » il me demande.

« C'est ça : Julien. Il la voulait, cette moto. »

« Quelle connerie », dit le gars de Semur.

« Ça oui, alors », je reconnais.

« Ils ont dû vous canarder », dit-il.

« Eh oui, Mais il tenait à cette moto, Julien. »

« Quelle idée », dit-il, « ça ne manquait pas, les motos ».

« Mais il tenait à celle-là, précisément », j'insiste.

« C'est pour des conneries comme ça qu'on se fait descendre », dit le gars de Semur.

Ça, je le sais bien.

« Qu'est-ce que vous en avez fait ? » demande-t-il.

Je lui raconte comment nous l'avons conduite jusqu'au maquis du « Tabou », sur les hauteurs entre Laignes et Châtillon. Au long des routes, les arbres étaient dorés par l'automne. Après Montbard, à un carrefour, il y avait une voiture de la « Feld » arrêtée, et les quatre gendarmes allemands en train de pisser dans le fossé.

Le gars de Semur éclate de rire.

« Qu'est-ce qu'ils ont fait ? » demande-t-il.

Ils ont tourné la tête, en entendant le bruit de la

moto, tous les quatre en même temps, comme des poupées mécaniques. Julien a donné un coup de frein et ils ont vu que nous étions armés.

« Tu les aurais vus cavaler dans le fossé, sans même avoir le temps de se reboutonner. »

Le gars de Semur rit encore.

« Vous leur avez tiré dessus ? » demande-t-il.

« Mais non, on n'avait pas intérêt à ameuter le secteur. On a filé. »

« Pour finir, ils vous ont eus quand même », dit le gars de Semur.

« Pas Julien. »

« Toi, ils t'ont eu quand même », insiste-t-il.

« Plus tard », je lui réponds, « bien plus tard. Un coup du hasard, il n'y avait rien à faire ».

C'est-à-dire, un coup du hasard, c'est une formule inexacte. C'était une des conséquences prévisibles, rationnelles, obligatoires, des actes que nous faisions. Ce que je voulais dire, c'est que la façon dont cela s'est passé, les circonstances mêmes de l'arrestation, étaient dues, en partie, au hasard. Cela aurait pu se passer de tout autre façon, cela aurait pu ne pas se passer du tout, cette fois-là, voici ce que je voulais dire. Le hasard, c'est que je me sois arrêté à Joigny, juste ce jour-là. Je rentrais de Laroche-Migennes, où j'avais essayé de reprendre contact avec le groupe qui avait fait sauter le train de munitions de Pontigny. En fait, j'aurais dû rejoindre directement Michel, à Paris. Le hasard, c'est que j'avais sommeil, que j'avais des nuits de sommeil en retard. Alors, je m'étais arrêté à Joigny, chez Irène, juste pour dormir quelques heures. Juste pour me faire cueillir par la Gestapo. A Auxerre, le lendemain, il y avait des roses dans le jardin du Dr Haas. Ils m'ont fait sortir dans le jardin et j'ai vu les roses. Le Dr Haas ne nous a pas accompagnés, il est resté dans son bureau. Il y avait juste le grand blond, qui avait l'air de se poudrer, et le gros qui était à Joigny, avec Haas, et qui s'essoufflait tout le temps. Ils m'ont fait marcher dans le jardin de la villa et j'ai vu les roses. Elles étaient belles. J'ai eu le temps de penser que c'était drôle, de remarquer ces roses et de les trouver belles, alors que je savais ce qu'ils allaient faire de moi. Depuis le début, j'avais soigneusement caché que j'entendais l'allemand. Ils parlaient devant moi, sans se méfier, et j'avais quelques secondes, le temps de la traduction, pour me préparer à ce qui allait suivre. Ils m'ont conduit vers un arbre, dans le jardin, à côté du parterre de roses, et je savais déjà qu'ils allaient me suspendre à une branche, par une corde passée entre les menottes, et qu'ensuite ils lâcheraient le chien contre moi. Le chien grondait au bout de sa laisse, tenue par le grand blond qui avait l'air de se poudrer Plus tard, beaucoup plus tard, j'ai regardé les roses à travers ce brouillard devant mes yeux. J'ai essayé d'oublier mon corps et les douleurs de mon corps, j'ai essayé d'irréaliser mon corps et toutes les sensations bouleversées de mon corps, en regardant les roses, en laissant mon regard se remplir de roses. Juste au moment où j'y arrivais, je me suis évanoui.

« On dit toujours ça », dit le gars de Semur.

« On dit quoi ? » je lui demande.

« Que c'est un coup du hasard, qu'il n'y avait rien à faire », dit le gars de Semur.

« Parfois c'est vrai. »

« Peut-être », dit-il, « mais on se fait toujours prendre ».

« Ceux qui sont pris trouvent toujours qu'on se fait toujours prendre. »

Le gars de Semur médite un certain temps sur cette vérité d'évidence.

« Là, t'as raison », dit-il, « pour une fois, t'as raison. Faudrait demander l'avis de ceux qui ne se font pas prendre ».

« Voilà comment il faut raisonner. »

Il hausse les épaules.

« C'est très joli », dit-il « de raisonner, mais en attendant, on est faits comme des rats ».

« Ce camp où on va », je lui demande, « puisque tu es si bien renseigné, tu sais ce que l'on y fait? »

« On y travaille », dit-il, très sûr de lui.

« A quoi, on y travaille? » je veux savoir.

« Tu m'en demandes trop », dit-il, « je sais qu'on travaille, c'est tout ».

J'essaye d'imaginer à quoi l'on peut travailler, dans un camp. Mais je n'arrive pas à imaginer la réalité, telle que je l'ai connue, plus tard. Au fond, ce n'est pas par manque d'imagination, c'est simplement parce que je n'ai pas su tirer toutes les conséquences des données qui m'étaient connues. La donnée essentielle, c'est que nous sommes de la main-d'œuvre. Dans la mesure où nous n'avons pas été fusillés, tout de suite après notre arrestation, dans la mesure également où nous ne rentrons pas dans la catégorie des gens à exterminer, quoi qu'il arrive, et de quelque façon que ce soit, comme sont les Juifs, nous sommes devenus de la main-d'œuvre. Une espèce particulière de main-d'œuvre, bien entendu, puisque nous n'avons pas la liberté de vendre notre force de travail, que nous ne sommes pas obligés de vendre librement notre force de

189

travail. Les S. S. n'achètent pas notre force de travail, ils nous l'extorquent, simplement, par les moyens de la contrainte la plus dénuée de justification, par la violence la plus pure. Car l'essentiel, c'est que nous sommes de la main-d'œuvre. Seulement, comme notre force de travail n'est pas achetée, il n'est pas économiquement nécessaire d'assurer sa reproduction. Quand notre force de travail sera épuisée, les S. S. iront en chercher de nouveau.

Aujourd'hui, dix-sept ans après ce voyage, si je me souviens de ce jour, au cours de ce voyage d'il y a dix-sept ans, où j'essayais d'imaginer quelle sorte de vie pouvait bien avoir lieu dans un camp, ce sont des images diverses qui se superposent, des couches successives d'images. Ainsi, lorsque l'avion plonge vers le sol, vers la piste d'atterrissage, il arrive que l'on traverse plusieurs couches de formations nuageuses, tantôt lourdes, épaisses, tantôt floconneuses, éclairées latéralement par les rayons d'un soleil invisible, il arrive que l'avion retrouve, entre deux couches nuageuses, une frange libre et bleue de ciel au-dessus des moutonnements cotonneux qu'on va percer tout à l'heure, dans le vol plongeant vers la terre ferme. Quand je pense à tout cela, aujourd'hui, plusieurs couches d'images se superposent, qui proviennent de lieux divers, et d'époques différentes de ma vie. Il y a d'abord les images qui se sont fixées dans ma mémoire, au cours des quinze jours qui ont suivi la libération du camp, ces quinze jours où j'ai pu voir le camp de l'extérieur, du dehors, avec un regard neuf, tout en continuant d'y vivre, d'y être à l'intérieur. Il y a ensuite, par exemple, les images de *Come back, Africa*, ce film de Rogosin sur l'Afrique du Sud, derrière lesquelles je voyais, en transparence, le camp de quarantaine, alors qu'apparaissaient sur l'écran des baraquements des banlieues noires de Johannesburg. Il y a encore ce paysage de la zone, à Madrid, ce vallon poussiéreux et puant de « La Elipa », à trois cents mètres des immeubles de luxe, où s'entassent les ouvriers agricoles chassés de leur campagne, ce repli de terrain ou tournoient les mouches et les cris d'enfants. C'est un univers analogue, et encore, au camp, nous avions l'eau courante, on connaît l'amour que les S. S. portent à l'hygiène, aux chiens de race et à la musique de Wagner.

Ce jour-là, justement, j'avais essayé de penser à tout cela, en revenant de ce village allemand où nous avions été boire l'eau claire de la fontaine. J'avais réalisé, brusquement, que ce village n'était pas le dehors, que c'était simplement une autre face, mais une face intérieure également à la société qui avait donné naissance aux camps allemands.

J'étais devant l'entrée du camp, je regardais la grande avenue asphaltée qui conduisait vers le ,quartier S. S., vers les usines, vers la route de Weimar. C'est par ici que les Kommandos partaient au travail, dans la lumière grise ou dorée de l'aube, ou bien, en hiver, à la lumière des projecteurs, au son allègre des marches jouées par l'orchestre de camp. C'est par là que nous sommes arrivés, au cœur de la cinquième nuit de ce voyage avec le gars de Semur. Mais le gars de Semur était resté dans le wagon. C'est par ici que nous avons marché, hier, avec nos visages vides et notre haine de la mort, contre les S. S. en fuite, sur la route de Weimar. C'est par cette avenue que je vais partir, lorsque je partirai. C'est par ici que j'ai vu arriver la lente colonne trébuchante des Juifs de Pologne, au milieu de cet hiver qui vient de se finir, ce jour où j'étais allé parler avec le « Témoin de Jéhovah », quand on m'avait demandé de préparer l'évasion de Pierrot et de deux autres copains.

C'est ce jour-là que j'ai vu mourir les enfants juifs.

Des années ont passé, seize ans, et cette mort, déjà, est adolescente, elle atteint cet âge grave qu'ont les enfants d'après-guerre, les enfants d'après ces voyages. Ils ont seize ans, l'âge de cette mort ancienne, adolescente. Et peut-être ne pourrai-je dire cette mort des enfants juifs, nommer cette mort, dans ses détails, que dans l'espoir, peut-être démesuré, peut-être irréalisable, de la faire entendre par ces enfants, ou par un seul d'entre eux, ne fût-ce qu'un seul d'entre eux, qui atteignent la gravité de leurs seize ans, le silence de leurs seize ans, leur exigence. L'histoire des enfants juifs, leur mort sur la grande avenue du camp, au cœur du dernier hiver de cette guerre-là, cette histoire jamais dite, enfouie comme un trésor mortel au fond de ma mémoire, la rongeant d'une souffrance stérile, peut-être le moment est-il venu de la dire dans cet espoir dont je parle. Peut-être est-ce par orgueil que je n'ai jamais raconté à personne l'histoire des enfants juifs, venus de Pologne, dans le froid de l'hiver le plus froid de cette guerre-là, venus mourir dans la large avenue qui conduisait à l'entrée du camp, sous le morne regard des aigles hitlériennes. Par orgueil, peut-être. Comme si cette histoire ne concernait pas tout le monde, et surtout ces enfants qui ont seize ans aujourd'hui, comme si j'avais le droit, la possibilité même, de la garder pour moi, plus longtemps. C'est vrai que j'avais décidé d'oublier. A Eisenach, aussi, j'avais décidé de ne jamais être un ancien combattant. C'est bon, j'avais oublié, j'avais tout oublié, je peux me souvenir de tout, désormais. Je peux raconter l'histoire des enfants juifs de Pologne pas comme une histoire qui me soit arrivée, à moi particulièrement, mais qui est arrivée avant tout à ces enfants juifs de Pologne. C'est-à-dire, maintenant, après ces longues années d'oubli volontaire, non seulement je peux raconter cette histoire, mais il faut que je la raconte. Il faut que je parle au nom des choses qui sont arrivées, pas en mon nom personnel. L'histoire des enfants juifs au nom des enfants juifs. L'histoire de leur mort, dans la grande avenue qui conduisait à l'entrée du camp, sous le regard de pierre des aigles nazies, parmi les rires des S. S., au nom de cette mort elle-même.

Les enfants juifs ne sont pas arrivés en pleine nuit, comme nous, ils sont arrivés dans la lumière grise de l'après-midi.

C'était le dernier hiver de cette guerre-là, l'hiver le plus froid de cette guerre dont l'issue s'est décidée dans le froid et dans la neige. Les Allemands étaient bousculés par une grande offensive soviétique qui déferlait à travers la Pologne, et ils évacuaient, quand ils en avaient le temps, les déportés qu'ils avaient rassemblés dans les camps de Pologne. Chez nous, près de Weimar, dans la forêt des hêtres au-dessus de Weimar, nous avons vu arriver, au fil des jours et des semaines, ces convois d'évacués. Les arbres étaient couverts de neige, les routes étaient couvertes de neige et dans le camp de quarantaine on enfonçait dans la neige jusqu'au genou. Les

Juifs de Pologne étaient entassés dans des wagons de marchandises, près de deux cents par wagon, et ils avaient voyagé pendant des jours et des jours, sans manger et sans boire, dans le froid de cet l'hiver qui a été le plus froid de cette guerre-là. A la gare du camp, quand on ouvrait les portes coulissantes des wagons, rien ne bougeait, la plupart des Juifs étaient morts debout, morts de froid, morts de faim, et il fallait décharger les wagons comme s'ils avaient transporté du bois, par exemple, et les cadavres tombaient tout raides sur le quai de la gare, on les y entassait, pour les conduire ensuite, par camions entiers, directement au crématoire. Pourtant, il y avait des survivants, il y avait des Juifs encore vivants, moribonds, au milieu de cet entassement de cadavres gelés dans les wagons. Un jour, dans un de ces wagons où il y avait des survivants, quand on a écarté l'entassement de cadavres gelés, collés souvent les uns aux autres par leurs vêtements gelés et raides, on a découvert tout un groupe d'enfants juifs. Tout à coup, sur le quai de la gare, sur la neige parmi les arbres couverts de neige, il y a eu un groupe d'enfants juifs, une quinzaine environ, regardant autour d'eux d'un air étonné, regardant les cadavres entassés comme des troncs d'arbres déjà écorcés sont entassés sur le bord des routes, attendant d'être transportés ailleurs, regardant les arbres et la neige sur les arbres, regardant comme des enfants regardent. Et les S. S., d'abord, ont eu l'air embêtés, comme s'ils ne savaient que faire de ces enfants de huit à douze ans, à peu près, bien que certains, par leur extrême maigreur, par l'expression de leur regard, eussent l'air de vieillards. Mais les S. S., aurait-on dit tout d'abord,

194

ne savaient que faire de ces enfants et ils les ont
rassemblés dans un coin, peut-être pour avoir le
temps de demander des instructions, pendant qu'ils
escortaient sur la grande avenue les quelques dizaines
d'aldutes survivants de ce convoi-là. Et une partie
de ces survivants aura encore le temps de mourir,
avant d'arriver à la porte d'entrée du camp, je me
souviens qu'on voyait certains de ces survivants
s'effondrer en route, comme si leur vie en veilleuse
dans l'entassement des cadavres gelés des wagons
brusquement s'éteignait, certains tombant droit
comme des arbres foudroyés, de toute leur longueur, sur la neige sale et par endroits boueuse de
l'avenue, au milieu de la neige immaculée sur les
grands hêtres frissonnants, d'autres tombant d'abord
sur les genoux, faisant effort pour se relever, pour se
traîner encore quelques mètres de plus, restant
finalement étendus, bras tendus en avant, mains
décharnées griffant la neige, dans une ultime tentative, aurait-on dit, pour ramper encore de quelques
centimètres vers cette porte là-bas, comme si cette
porte était au bout de la neige et de l'hiver et de la
mort. Mais finalement il n'y a plus eu sur le quai de
la gare que cette quinzaine d'enfants juifs. Les S. S.
sont revenus en force, alors, ils avaient dû recevoir
des instructions précises, ou bien leur avait-on donné
carte blanche, peut-être leur avait-on permis d'im-
proviser la façon dont ces enfants allaient être
massacrés. En tout cas, ils sont revenus en force,
avec des chiens, ils riaient bruyamment, ils criaient
des plaisanteries qui les faisaient s'esclaffer. Ils se
sont déployés en arc de cercle et ils ont poussé
devant eux, sur la grande avenue, cette quinzaine
d'enfants juifs. Je me souviens, les gosses regardaient

autour d'eux, ils regardaient les S. S., ils ont dû croire au début qu'on les escortait simplement vers le camp, comme ils avaient vu le faire pour leurs aînés, tout à l'heure. Mais les S. S. ont lâché les chiens et ils se sont mis à taper à coups de matraque sur les enfants, pour les faire courir, pour faire démarrer cette chasse à courre sur la grande avenue, cette chasse qu'ils avaient inventée, ou qu'on leur avait ordonnée d'organiser, et les enfants juifs, sous les coups de matraque, houspillés par les chiens sautant autour d'eux, les mordant aux jambes, sans aboyer, ni grogner, c'étaient des chiens dressés, les enfants juifs se sont mis à courir sur la grande avenue, vers la porte du camp. Peut-être à ce moment-là n'ont-ils pas encore compris ce qui les attendait, peut-être ont-ils pensé que ce n'était qu'une dernière brimade, avant de les laisser entrer au camp. Et les enfants couraient, avec leurs grandes casquettes à longue visière, enfoncées jusqu'aux oreilles, et leurs jambes bougeaient de façon maladroite, à la fois saccadée et lente, comme au cinéma quand on projette de vieux films muets, comme dans les cauchemars où l'on court de toutes ses forces sans arriver à avancer d'un pas, et cette chose qui vous suit va vous rattraper, elle vous rattrape et vous vous réveillez avec des sueurs froides, et cette chose, cette meute de chiens et de S. S. qui courait derrière les enfants juifs eut bientôt englouti les plus faibles d'entre eux, ceux qui n'avaient que huit ans, peut-être, ceux qui n'avaient bientôt plus la force de bouger, qui étaient renversés, piétinés, matraqués par terre, et qui restaient étendus au long de l'avenue, jalonnant de leurs corps maigres, disloqués, la progression de cette chasse à courre, de cette meute qui déferlait sur eux. Et il n'en resta bientôt plus que deux, un grand et un petit, ayant perdu leurs casquettes dans leur course éperdue, et leurs yeux brillaient comme des éclats de glace dans leurs visages gris, et le plus petit commençait à perdre du terrain, les S. S. hurlaient derrière eux, et les chiens aussi ont commencé à hurler, l'odeur du sang les affolait, et alors le plus grand des enfants a ralenti sa course pour prendre la main du plus petit, qui trébuchait déjà, et ils ont fait encore quelques mètres, ensemble, la main droite de l'aîné serrant la main gauche du plus petit, droit devant eux, jusqu'au moment où les coups de matraque les ont abattus, ensemble, face contre terre, leurs mains serrées à tout jamais. Les S. S. ont rassemblé les chiens, qui grondaient, et ils ont refait le chemin en sens inverse, tirant une balle, à bout portant, dans la tête de chacun des enfants tombés sur la grande avenue, sous le regard vide des aigles hitlériennes.

Mais aujourd'hui l'avenue est déserte, sous le soleil d'avril. Une jeep américaine tourne, là-bas, au carrefour des casernes « Totenkopf ».

Je me retourne et je marche vers la grille d'entrée.

Il faut que je retrouve Diego, ou bien Walter. J'ai envie de parler avec les copains. Je montre mon laissez-passer à la sentinelle américaine et je regarde l'inscription, en grandes lettres de fer forgé, qui se trouve au-dessus de la grille. « Arbeit macht frei [1]. » C'est une belle maxime paternaliste, c'est pour notre bien qu'on nous a enfermés ici, c'est par le travail forcé qu'on nous a appris la liberté.

1. Le travail rend libre.

C'est une belle maxime, sans aucun doute, et ce n'est pas une preuve de l'humour noir chez les S. S., c'est simplement que les S. S. sont convaincus de leur bon droit.

J'ai franchi la grille et je marche dans les rues du camp, au hasard, en regardant à droite et à gauche, si je vois des copains.

C'est alors, dans la grande allée qui longe le bâtiment des cuisines, à l'angle du block 34, que je vois Émil. Il est debout, dans le soleil, les bras ballants, il regarde droit devant lui, nulle part.

J'ai pensé à Émil, il n'y a pas si longtemps, je me suis souvenu de lui, il y a quelques semaines, ces jours où Alfredo a été arrêté. Je me demandais, ces jours où Alfredo a été arrêté, pourquoi on tient, et pourquoi aussi ne tient-on pas, devant la police, sous la torture. Alfredo avait tenu, je me suis souvenu d'Émil, en pensant, ces jours-là, aux raisons qui font que certains tiennent et que d'autres ne tiennent pas. Mais le plus grave, ce qui prête davantage à réflexion, c'est la difficulté, presque l'impossibilité, d'établir les critères rationnels de la force des uns, de la faiblesse des autres. Je pensais à tout cela, car la constatation purement empirique, celui-ci a tenu, celui-là n'a pas tenu, ne me comblait pas d'aise. Alfredo, c'était un jeudi, nous avions rendez-vous à onze heures. Il faisait du vent, un souffle sec et coupant qui descendait des cimes neigeuses. J'ai attendu Alfredo un quart d'heure, ces quinze minutes de battement que l'on s'accorde, avant de penser qu'il est arrivé quelque chose. Les quinze minutes ont passé, il était arrivé quelque chose. On pense d'abord à un empêchement quelconque, un événement banal, bien qu'imprévu. On chasse de son esprit l'idée de quelque chose de grave, de vraiment grave. Mais une angoisse sourde commence à vous ronger le cœur, une contraction douloureuse de tous les muscles internes. J'ai allumé une cigarette, je suis parti, nous avons fait la réunion, quand même. Ensuite, j'ai appelé Alfredo, d'une cabine téléphonique. Une voix d'homme a répondu, qui n'était pas la sienne. Était-ce son père? Je ne pouvais l'affirmer. La voix insistait pour savoir mon nom, pour savoir qui appelait Alfredo. La voix disait qu'Alfredo était malade, que je passe donc le voir chez lui, qu'il serait très heureux d'avoir de la visite. J'ai dit : « C'est ça, monsieur, bien sûr, monsieur, merci beaucoup, monsieur. » Dehors, je suis resté debout sur le trottoir, je pensais à cette voix. Ce n'était pas le père d'Alfredo, bien entendu. C'était un piège, tout simplement, un bon vieux piège cousu de fil blanc. Je fumais une cigarette, elle avait un goût âcre, debout dans le vent glacial des cimes neigeuses et je pensais qu'il fallait déclencher tout de suite les mesures de sécurité, qu'il fallait essayer de couper les fils qui reliaient Alfredo à l'organisation. Quant au reste, cela dépendait d'Alfredo, qu'il tienne le coup ou qu'il ne tienne pas le coup.

Je fumais ma cigarette et j'étais envahi par cette sensation du déjà vécu, par cette amertume des gestes souvent faits, qu'il fallait refaire une fois encore. Ce n'était pas bien compliqué, d'ailleurs, un travail de routine, en somme, quelques coups de téléphone à donner, quelques visites, c'est tout ce qu'il y avait à faire. Après, il n'y aurait plus qu'à attendre. Dans quelques heures nous allions recevoir des nouvelles, venues de plusieurs côtés à la fois, transmises parfois par les détours les plus imprévus. Le veilleur de nuit aura vu partir Alfredo, à trois heures du matin, menottes aux mains, entouré de policiers. Il l'aura communiqué, dès l'aube, au boulanger qui tient boutique six maisons plus haut, et celui-ci, il se trouve qu'il est lié à une de nos organisations de quartier. Dans quelques heures, des téléphones vont sonner et on prononcera des phrases étranges : « Bonjour, monsieur, je vous appelle de la part de Roberto, pour vous dire que la commande sera livrée à deux heures », ce qui laisse entendre qu'il faut aller dans un lieu convenu, prendre connaissance d'une nouvelle importante. Dans quelques heures nous aurons créé autour d'Alfredo une zone de vide, de silences, de portes closes, d'absences imprévues, de paquets changés de place, de papiers mis en lieu sûr, d'attente de femmes, une fois de plus, une fois encore, comme il arrive, souvent, depuis vingt ans, plus de vingt ans. Dans quelques heures nous tisserons le réseau le plus serré de gestes solidaires, de pensées affrontant, chacune pour soi, dans le silence de soi, la torture de ce copain, qui peut être, demain, notre propre torture. Nous aurons des nouvelles, une première idée des origines de l'arrestation d'Alfredo, de ses conséquences, nous pourrons déduire si elle est liée à quelque opération d'envergure. Enfin, nous aurons des éléments concrets sur lesquels travailler pour parer les coups, dans la mesure du possible.

Il n'y avait plus qu'à attendre. C'était la fin de l'automne, seize ans après cet autre automne, à Auxerre. Je me souviens, il y avait des roses dans le jardin de la Gestapo. Je jetais une cigarette, j'allumais une cigarette et je pensais à Alfredo. Je pensais qu'il allait tenir le coup, pas seulement parce que les tortures ne sont plus ce qu'elles étaient autrefois. Je pensais qu'il aurait tenu le coup de toute façon, même autrefois, ou bien qu'il serait mort sous les tortures. Je pensais cela et j'essayais de cerner les éléments rationnels de cette pensée, les points stables sur lesquels reposait cette conviction spontanée. Quand on y réfléchit, c'est effarant qu'on soit obligé, depuis des années, de scruter le regard des copains, d'être attentif aux fêlures possibles de leur voix, à leurs gestes dans telle ou telle circonstance, à leur façon de réagir devant tel événement, pour essayer de se faire une idée sur leur capacité de résister à la torture, le cas échéant. Mais c'est un problème pratique dont il faut tenir compte, absolument, ce serait criminel de ne pas en tenir compte. C'est effarant que la torture soit un problème pratique, que la capacité de résister à la torture soit un problème pratique qu'il faille envisager pratiquement. Mais c'est un fait, nous ne l'avons pas choisi, nous sommes bien obligés d'en tenir compte. Un homme devrait pouvoir être un homme, même s'il n'est pas capable de résister à la torture, mais voilà, les choses étant ce qu'elles sont, un homme cesse d'être un homme qu'il était, qu'il pourrait devenir, s'il plie sous la torture, s'il dénonce les camarades. Les choses étant ce qu'elles sont, la possibilité d'être homme est liée à la possibilité de la torture, à la possibilité de plier sous la torture.

J'ai pris des taxis, je suis allé où il fallait aller, j'ai fait ce qu'il fallait faire, ce qu'on pouvait faire et j'ai continué d'attendre, de toutes mes forces, sous les gestes routiniers de la vie. Il fallait qu'Alfredo tienne le coup, s'il ne tenait pas le coup, nous en serions tous affaiblis. Il fallait qu'Alfredo tienne le coup, que nous soyons tous renforcés par sa victoire. Je pensais à tout cela et je savais qu'Alfredo aussi pensait à tout cela, sous les coups de poing et les coups de matraque. Il pense en ce moment même que son silence n'est pas seulement sa victoire personnelle, que c'est une victoire que nous partagerons avec lui. Notre vérité va revêtir l'éclatante armure de son silence, il sait cela, cela l'aide à sourire dans son silence.

Les heures passaient, il ne se passait rien, c'est le silence d'Alfredo qui soutenait ce calme. On n'a sonné nulle part à trois heures du matin, à cette heure blanche où les perquisitions et les premiers coups vous cueillent à froid, la bouche pleine de sommeil. C'est le silence d'Alfredo qui laisse dormir les copains dans les maisons menacées. Les heures passaient, il ne se passait rien, nous allions être vainqueurs, cette fois encore. Je me souviens de cette journée de printemps, il y a huit mois, j'étais assis sur un banc, avec Alfredo et Eduardo. Il faisait chaud, nous étions au soleil, le parc étendait devant nous ses gazons vallonnés. Nous parlions de choses et d'autres, et je ne sais plus comment la conversation en est venue sur *La Question*. C'est un livre que nous avions lu attentivement, que nous avions relu, car c'est bien plus qu'un témoignage. C'est pour nous un livre d'une grande portée pratique, plein d'enseignements. En quelque sorte, un instrument de travail. Car il est fort utile de comprendre, avec une telle clarté, une semblable rigueur dépourvue de phrases inutiles, qu'on peut tenir sous les secousses de l'électricité, qu'on peut préserver son silence, malgré le pentothal. Nous avons parlé de *La Question* d'une façon pratique, calmement c'est un livre qui nous concernait pratiquement. C'était un beau livre, utile, qui aidait à vivre. Peut-être Alfredo s'est-il aussi souvenu de cette conversation dans le parc ensoleillé, face aux montagnes bleues couronnées encore de quelques traînées neigeuses, face au paysage sévère d'oliviers et de chênes. Après, nous avons bu de la bière ensemble, avant de nous quitter. Elle était fraîche. C'était agréable d'avoir soif et d'étancher sa soif.

Je me suis souvenu d'Émil, ces jours-là, il y a quelques semaines. Il était debout, dans le soleil, les bras ballants, à l'angle du block 34, la dernière fois que je l'ai vu. Je suis passé près de lui, j'ai détourné la tête, je n'avais pas le courage d'affronter son regard mort, son désespoir, oui, sûrement, son désespoir à tout jamais, en ce jour de printemps qui n'était pas pour lui le début d'une vie nouvelle, mais la fin, certes, oui, la fin de toute une vie. Émil avait tenu, pendant douze ans il avait tenu, et subitement, il y a un mois, alors que la partie était jouée, alors que vraiment nous touchions de la main l'approche de la liberté, tout le printemps était rempli des rumeurs de cette liberté s'avançant, tout à coup, il y a un mois, il avait cédé. Il avait cédé de la façon la plus bête, la plus lâche, on pourrait dire qu'il avait cédé gratuitement. Lorsque les S. S., en désespoir de cause, aux abois, avaient demandé des volontaires pour l'armée allemande, il y a un mois, et qu'ils n'avaient pas reçu une seule demande, parmi tous ces milliers de détenus politiques, ils avaient menacé les chefs de blocks. Alors, Émil avait inscrit sur la liste, à côté de quelques criminels de droit commun, qui étaient volontaires, un déporté de son block, un Alsacien mobilisé de force dans la Wehrmacht, déserteur, et détenu pour ce fait. Il l'avait inscrit sans rien lui en dire, bien sûr, se prévalant de son autorité de chef de block. Il avait envoyé cet Alsacien à la mort, ou au désespoir, il avait fait de ce jeune Alsacien un homme perdu à tout jamais, même s'il s'en sortait vivant, un homme qui n'aurait plus jamais confiance en rien, un homme perdu pour toute espérance humaine. J'avais vu pleurer cet Alsacien, le jour où les S. S. sont venus le chercher, puisqu'il était sur la liste des volontaires. Nous l'entourions, nous ne savions quoi lui dire, il pleurait, rejeté de toute chaleur humaine, il ne comprenait pas ce qu'il lui tombait dessus, il ne comprenait plus rien, c'était un homme perdu.

Émil était chef de block, nous étions fiers de son calme, de sa générosité, nous étions heureux de le voir émerger de ces douze ans d'horreur avec un sourire tranquille de ses yeux bleus, dans son visage creusé, ravagé par les horreurs de ces douze ans. Et voici que brusquement il nous quittait, qu'il s'effondrait dans la nuit de ces douze ans passés, voici qu'il devenait l'une des preuves vivantes de cette horreur et de cette interminable nuit de douze années. Voici qu'au moment où les S. S. étaient vaincus, Émil devenait une preuve vivante de leur victoire, c'est-à-dire, de notre défaite passée, déjà mourante, mais entraînant dans son agonie le cadavre vivant d'Émil.

Il était là, au coin du block 34, dans le soleil, les bras ballants. J'ai détourné la tête. Il n'était plus de notre côté. Il était, comme la bonne femme de tout à l'heure, comme ses fils morts, les deux fils morts de cette femme dans sa maison en face du crématoire, il était du côté de la mort passée, encore présente. Quant à nous, il nous fallait justement apprendre à vivre.

« J'imagine », dit le gars de Semur, « j'imagine qu'en tout cas ils vont nous faire travailler dur ».

Nous sommes là, à essayer de deviner quelle sorte de travail les S. S. vont nous faire faire, dans ce camp où l'on va.

« Dis donc, vieux », fait une voix, quelque part derrière moi.

Le gars de Semur regarde.

« C'est à nous que tu parles? » demande-t-il.

« Oui, » fait la voix, « ton copain, je voudrais lui dire quelque chose ».

Mais je suis coincé dans la masse des corps. Je ne peux pas me retourner vers la voix de ce type qui veut me dire quelque chose.

« Vas-y », je lui dis, en tournant la tête le plus que je peux. « Vas-y, j'écoute. »

J'entends la voix du type dans mon dos, et le gars de Semur regarde le type, pendant qu'il parle.

« Cette moto dont tu parlais », dit la voix, « c'est au maquis du « Tabou » que vous l'avez conduite? »

« Oui », je réponds, « tu connais? »

« Au « Tabou », dit la voix, « au-dessus de Larrey »?

« Justement, pourquoi, tu connais? »

« J'y étais », dit la voix.

« Ah bon, à quel moment? »

« Mais j'en viens », dit la voix, « pratiquement. Ça fait un mois que les S. S., ils ont nettoyé la région. Il n'y a plus de « Tabou ».

Ça me porte un coup, je dois dire. Bien sûr, je sais que la guerre continue, que les choses ne vont pas demeurer, immuables, telles que je les connaissais au moment de mon arrestation. Mais ça me fait un coup, de savoir que les S. S. ont liquidé le « Tabou ».

« Merde », je dis. Et c'est bien ce que je pense.

« Je me souviens de cette moto », dit la voix, « on s'en est servi, après votre départ ».

« C'était une bonne moto, presque neuve. »

Je me rappelle cette randonnée, sur les routes de l'automne, et ça m'emmerde vraiment qu'ils aient liquidé le « Tabou ».

« Si c'est bien toi, le gars de la moto... », commence la voix.

« Mais oui, c'est moi, vieux », je l'interromps.

« Bien sûr », fait la voix « c'était une façon de parler. Je voulais dire, puisque c'est toi, tu es venu une seconde fois au « Tabou ».

« Oui » je fais, « avec une traction. On avait des armes pour vous ».

« Voilà », dit la voix. « Je me souviens aussi de cette fois-là. T'avais un revolver au canon long, peint en rouge, et nous en voulions tous un pareil. »

Je rigole.

« Oui », je dis, « c'était une vraie pièce d'artillerie ».

« Cette fois-là », dit la voix, « tu étais avec un autre type. Un grand, à lunettes ».

Le grand à lunettes, c'était Hans.

« Bien sûr », je fais.

« Il était avec nous » dit la voix, « quand la bagarre a commencé ».

« Quelle bagarre? » je dis, subitement inquiet.

« Les S. S. », dit la voix, « quand ils ont déclenché l'opération, le grand à lunettes était avec nous ».

« Pourquoi? Pourquoi était-il revenu? »

« Je ne sais pas, vieux », dit la voix du type qui était au « Tabou », « il était revenu, c'est tout ».

« Et alors ? » je demande.

« Je ne sais pas », dit la voix, « on s'est battus une demi-journée, le soir et une partie de la nuit, sur place, autour de la route. Ensuite, on a commencé à décrocher vers l'intérieur, pour se disperser ».

« Et mon copain ? »

« Ton copain, je ne sais pas, il est resté dans le groupe de couverture », dit la voix.

Hans était resté dans le groupe de couverture.

« Tu ne l'as plus revu ? » je demande.

« Non », dit la voix, « j'ai été pris dans un barrage, à Châtillon, après la dispersion. Les gars du groupe de couverture, on ne les a pas revus ».

Hans était resté dans le groupe de couverture, c'était prévisible.

Plus tard, dans la deuxième quinzaine de mai, cette année de mon retour, d'ici deux ans, Michel et moi nous avons recherché la trace de Hans, de Laignes à Châtillon, de Semur à Larrey, dans toutes les fermes de la région. Michel était dans la Première Armée, il avait eu une permission, juste après la capitulation allemande. Nous avons recherché la trace de Hans, mais il n'y avait plus de trace de Hans. C'était le printemps, nous avons roulé jusqu'à Joigny, il s'était débrouillé pour avoir une voiture et un ordre de mission, Michel. A Joigny, Irène n'était pas revenue. Elle était morte à Bergen-Belsen, du typhus, quelques jours après l'arrivée des troupes anglaises. Sa mère nous avait donné à manger, dans la cuisine d'autrefois et dans la cave il flottait encore l'odeur tenace du plastic. Elle nous avait montré une coupure d'un journal local, racontant la mort d'Irène, à Bergen-Belsen. Albert avait été fusillé. Olivier était mort à Dora. Julien aussi était mort, il avait été surpris à Laroche, il s'était défendu comme un beau diable et sa dernière balle avait été pour lui. Je me souviens, il le disait : « La torture, très peu pour moi, si je peux, je me brûle la gueule. » Il s'était brûlé la gueule. Michel et moi, nous écoutions la mère d'Irène, nous écoutions sa voix cassée. Nous avons mangé du lapin à la moutarde, en silence, avec toutes ces ombres des copains morts autour de nous.

Une semaine après, nous avions réussi à retrouver l'un des survivants du « Tabou ». C'était dans une ferme, près de Laignes, nous attendions dans la cour de la ferme le retour des hommes, qui étaient aux champs. Nous attendions avec la fermière, c'était son fils qui avait survécu au massacre du « Tabou ». Elle racontait d'une voix lente, mais précise, la longue histoire de ces longues années. Nous écoutions mal, car nous connaissions cette histoire. Ce n'était pas cette histoire qui nous intéressait, maintenant, c'était Hans, la trace de Hans, le souvenir de Hans. La fermière racontait cette longue histoire et de temps à autre elle s'interrompait pour nous dire : « Vous prendrez bien un coup de blanc ? » elle nous regardait et ajoutait : « Ou bien du cidre ? » Mais nous n'avions pas le temps de lui dire qu'en effet nous prendrions bien un coup de blanc, elle enchaînait aussitôt sur cette longue histoire des longues années qui venaient de finir.

Hier, dans un bistrot près de Semur, où nous mangions du jambon, du pain et du fromage, accompagnés d'un petit vin du pays dont vous me direz des nouvelles, Michel avait dit, après une longue pause de silence entre nous :

« Au fait, tu ne m'as encore rien raconté. »

Je sais de quoi il veut parler, mais je ne veux pas savoir. Le pain, le jambon, le fromage, le vin du pays, ce sont des choses qu'il faut réapprendre à savourer. Il faut s'y concentrer. Je n'ai pas envie de raconter quoi que ce soit.

« Raconter? » je réponds, « qu'est-ce qu'il y a à raconter »?

Michel me regarde.

« Justement », dit-il, « je ne sais pas ».

Je découpe un petit carré de pain, je découpe un petit carré de fromage, je mets le pain sous le fromage et je mange. Ensuite, une gorgée de vin du pays.

« Et moi, je ne sais plus ce qu'il y aurait à raconter. »

Michel mange aussi. Ensuite, il demande :

« Trop de choses, peut-être? »

« Ou pas assez, pas assez par rapport à ce qu'on ne pourra jamais raconter. »

Michel, cette fois, s'étonne.

« Tu en es sûr? » dit-il.

« Non », je dois reconnaître, « peut-être n'était-ce qu'une phrase ».

« Je crois bien », dit Michel.

« De toute façon », j'ajoute, « il me faudra du temps ».

Michel réfléchit là-dessus.

« Le temps d'oublier », dit-il, « c'est possible. Pour raconter après l'oubli ».

« C'est à peu près ça. »

Et nous n'avons plus jamais abordé ce sujet, ni au cours des jours qui ont suivi, pendant que nous recherchions la trace de Hans, ni plus jamais. Et maintenant que le temps de l'oubli est venu, c'est-à-dire, maintenant que ce passé revient plus fortement que jamais en mémoire, je ne peux plus le raconter à Michel. Je ne sais plus où trouver Michel.

Le lendemain, nous étions dans cette cour de ferme et la mère de ce gars qui avait survécu au massacre du « Tabou » nous racontait la longue histoire de ces longues années. Puis, les hommes sont revenus. Les hommes nous ont fait entrer dans la longue salle commune de la ferme, et finalement nous l'avons eu, ce coup de vin blanc.

La longue salle commune, ou peut-être était-ce une cuisine, était fraîche et tiède, c'est-à-dire tiède, parcourue, qui sait, par des ondes de fraîcheur, ou bien était-ce un frisson qui me parcourait, des ondes frissonnantes tout au long de mon épine dorsale, la fatigue, peut-être, ou bien les souvenirs du massacre du « Tabou » que ce gars rappelait, d'une façon terne, sûrement, incapable de mettre en valeur, ou de souligner, les épisodes les plus marquants, mais a cause de cela, précisément, d'une façon qui nous touchait davantage, Michel aussi, je crois, j'ai cru le percevoir, bien qu'on n'en ait pas parlé, après, en reprenant la route. Le désordre et la nuit, le désordre et la mort, et Hans était resté dans le groupe de couverture, le gars s'en souvenait parfaitement, c'est-à-dire, il n'y était pas resté, il avait décidé d'y rester, il l'avait choisi. Michel se souvenait, sûrement, c'est lui qui m'en avait parlé, de cette conversation avec Hans, il m'en avait indiqué le lieu, l'endroit où elle avait eu lieu, et Hans lui disant : « Je ne veux pas avoir une mort de Juif », et « qu'est-ce à dire ? » lui avait demandé Michel, c'est-à-dire, « je ne veux pas mourir seulement parce que je suis Juif », il se refu-

sait, en fait, à avoir son destin inscrit dans son corps.
Michel disait : à moi il me disait, que Hans avait
employé des termes plus précis, plus crus, et cela
ne m'étonnait pas, Hans avait l'habitude de cacher
sous des outrances verbales ses sentiments les plus
profonds, puisque c'est ainsi qu'on qualifie les sentiments vrais, comme si les sentiments avaient des
densités différentes, les uns surnageant, mais sur
quelle eau, les autres traînant au fond, dans quelle
vase des tréfonds. Le fait est que Hans ne voulait
pas mourir, dans la mesure où il lui faudrait mourir,
seulement parce qu'il était juif, il pensait, je pense,
d'après ce qu'il en avait dit à Michel, et que celui-ci
m'avait rapporté, que cela n'était pas une raison
suffisante, ou peut-être, valable, suffisamment valable,
pour mourir, il pensait, sûrement, qu'il lui fallait
donner d'autres raisons de mourir, c'est-à-dire d'être
tué, car, cela j'en suis certain, il n'avait aucune envie
de mourir, simplement le besoin de donner aux Allemands d'autres raisons de le tuer, le cas échéant, que
celle, tout bonnement, d'être juif. Ensuite, il y a eu
un deuxième coup de vin blanc, et un troisième, et
finalement nous nous sommes mis à table, « car vous
allez bien rester manger avec nous », et le gars dévi-
dait toujours son terne récit, son hallucinant récit
terne et désordonné de ce massacre du « Tabou »,
qui avait bien été quelque chose de terne et de désordonné, pas une action brillante, quelque chose de
terne, de gris, dans l'hiver sur les hauteurs, parmi
les arbres de l'hiver, une opération, en quelque sorte,
de police, ou alors de quadrillage, de cette forêt d'où
s'envolaient, chaque soir, les descentes du maquis
sur toutes les routes, et les villages de la région.
J'avais participé une fois, deux fois, je ne sais plus,

peut-être je confonds avec un autre maquis, je ne crois pas, pourtant, à un de ces raids nocturnes, dans la traction qui ouvrait la marche, et les routes étaient à nous, il faut dire, toute la nuit, les villages étaient à nous, toutes les nuits.

Le fait est que Hans était resté dans le groupe de couverture.

« Ce grand type à lunettes, votre copain », dit le gars de la ferme, « Philippe, je crois, on l'appelait, eh bien, c'est lui qui a pris le f.m., à la fin ».

La fermière, elle nous sert à manger, elle reste debout, appuyée des deux mains sur le dossier d'une chaise, elle regarde son fils, et son regard est une pluie d'avril traversée de soleil, une allégresse de gouttelettes brillantes, une giboulée qui se déverse sur la figure penchée, pensive, mâchonnante, de son fils qui renoue les fils du souvenir de ce massacre dont il est sorti sain et sauf, oh, son fils sain et sauf, à côté d'elle, vivant, taciturne ou gai, bougonnant « j'ai faim, maman, j'ai soif, maman, donne-moi à boire, maman ».

« Tu ne manges pas, la mère ? » demande le fermier.

Ainsi, cette histoire commençait à prendre tournure, mais il arrivait toujours un moment où Hans, brusquement, disparaissait. Ce type dans le train, cette voix anonyme dans la pénombre du wagon, par qui tout avait commencé, parlait de Hans, avec force précisions, jusqu'au moment où avait commencé la débandade. Et ce gars-ci, le fils de ces fermiers, près de Laignes, prenait le relais, donnant d'autres détails sur les mêmes faits, une autre vision des faits, qui prolongeait l'histoire, car il était resté plus longtemps près de Hans, il avait fait partie d'un groupe de jeunes paysans de la région, qui ne s'étaient pas repliés, qui n'avaient pas cherché à se dégager de l'étreinte allemande en gagnant les profondeurs du bois, mais au contraire, tirant profit de leur connaissance de tous les sentiers, de tous les chemins creux, de toutes les haies, boqueteaux, clairières, pentes, talus, fermes, champs labourés et pâturages, ils avaient franchi les lignes allemandes, la nuit tombée, vers l'avant, rampant à un moment donné entre les sentinelles S. S., et certains avaient réussi à gagner des fermes amies, plus loin, des portes s'ouvrant dans la nuit pour les laisser entrer, toute la famille debout, dans le noir, volets clos, haletante, écoutant ce bruit des mitrailleuses S. S. dans la nuit, sur les hauteurs du « Tabou ».

Et ce récit du gars de Laignes, du fils de ces fermiers de Laignes, m'en rappelle un autre, c'est-à-dire, plus exactement, pendant que ce gars dévide son récit, qu'il bute sur les phrases, comme cette nuit-là sur les racines, les ronces et les pierres, une autre marche dans la nuit me revient en mémoire, c'est-à-dire, l'idée que je devrais me souvenir d'une autre marche dans la nuit, que celle-ci évoque, sans encore la dévoiler, sans que je sache encore quelle autre marche dans la nuit, et par qui marchée, rôde aux confins de ma mémoire, bouillonne doucement sous ce récit et les évocations de ce récit. Mais le fait est que Hans, dans cette histoire, il arrive un moment où il disparaît. Et je réalise subitement que nous ne retrouverons jamais la trace de Hans.

Bloch, pour sa part, il acceptait sa condition de juif. Cela l'épouvantait, certainement, ses lèvres étaient blêmes et il frissonnait, quand je l'ai rencontré vers le milieu de la rue Soufflot et que je me suis mis à marcher avec lui, vers H. IV. Mais il l'acceptait, c'est-à-dire, il s'installait d'emblée, avec résignation (et peut-être même, je n'oserais pourtant pas le jurer, avec une joyeuse résignation, avec une certaine sorte de joie à se résigner à accepter cette condition de Juif, aujourd'hui infamante, et comportant des risques, mais ces risques étaient inscrits, devait-il se dire, avec cette certaine joie, pleine de tristesse, inscrits depuis toujours dans sa condition de Juif : hier intérieurement différent des autres, aujourd'hui cela devenait visible, étoilé de jaune), avec épouvante et joie, avec un certain orgueil, pourquoi pas, un orgueil corrosif, acide, destructeur de soi-même.

« Tu ferais mieux de me laisser seul, Manuel », me dit-il, vers le milieu de la rue Soufflot, pendant que nous marchons, nous avons justement classe de philosophie, ce matin.

« Pourquoi ? » je demande, bien que je sache pourquoi, mais je voudrais qu'il le dise, pourquoi.

« Tu vois bien », dit-il ; il a un geste du menton vers son étoile jaune, cousue sur son pardessus gris.

Alors, je ris, et j'ai peur qu'il y ait eu dans mon rire, si cela était, je voudrais tellement m'en excuser, qu'il y ait eu une nuance de mépris, peut-être pas de mépris exactement, quelque chose de hautain, de glaçant, qui ait pu blesser justement cet orgueil de Bloch, ce triste orgueil de savoir qu'enfin éclatait, pour le pire, non pas pour le meilleur, seulement pour le pire, cette vérité monstrueuse de sa différence d'avec nous.

« Et alors ? » lui dis-je, « je ne vais pas rentrer dans leur jeu, tu penses ».

« Quel jeu ? » dit-il, et nous continuons de marcher ensemble, au même pas.

« Jeu, peut-être pas », je précise, « leur tentative, leur décision, de vous isoler, vous mettre en marge ».

« Mais c'est vrai », dit-il, et il a souri, et c'est à ce moment que j'ai soupçonné cette dose de triste orgueil corrosif, qu'il pouvait y avoir dans son sourire.

« Ça », lui dis-je, « c'est ton affaire, d'accepter cela ou de ne pas l'accepter. Mais moi, mon affaire, et tu n'y changeras rien, c'est justement de ne pas en tenir compte. Ça, tu n'y peux rien, c'est mon affaire ».

Il hoche la tête et ne dit plus rien et nous arrivons à H. IV au moment où sonne la cloche et nous courons vers la classe de philosophie, Bertrand va encore nous expliquer pourquoi et comment l'esprit est créateur de soi-même, et je vais encore faire semblant de croire à cette fantasmagorie.

C'est le lendemain, je pense, en tout cas très peu de temps après le jour où Bloch est arrivé avec son étoile jaune — et nous étions une classe de philosophie de bons Français à part entière, il n'y avait que cette seule, cette solitaire étoile jaune de Bloch, d'autant plus voyante. (Quant à moi, ce n'est que plus tard que les choses sont rentrées dans l'ordre, que j'ai porté non pas une étoile, mais un triangle rouge, pointé vers le bas, vers le cœur, mon triangle rouge de rouge espagnol, avec un « S » dessus) — le lendemain, donc, ou deux jours après, que le professeur de mathématiques s'est cru obligé de faire quelques commentaires sur cette étoile jaune, sur les Juifs, en général, et le monde tel qu'il allait. Bloch m'avait regardé, il souriait comme l'autre jour, rue Soufflot, il faisait bonne contenance, ce n'était que la première étape de ce long sacrifice qu'allait être

215

sa vie, désormais, tout cela était écrit dans les textes, il souriait, pensant déjà, certainement, aux sacrifices futurs, écrits aussi, décrits aussi, inscrits déjà.

Mais ni Bloch, ni moi, ni personne, n'avions pensé à Le Cloarec, nous avions oublié qu'il y a toujours, quelque part, un Breton pour faire des siennes. Le Cloarec a pris l'affaire en main, rondement. Au début du cours, en novembre, nous avions été ensemble, à l'Étoile, après nous être mis d'accord, avec de grands rires et des tapes dans le dos, sur les points suivants : d'abord, nous conchiions la guerre de 14-18, elle nous emmerdait, nous emmerdions les tombeaux des soldats inconnus, par les soldats inconnus, les tombeaux qu'on leur fait après les avoir fait massacrer, incognito ; ça, c'était le point de départ, disait Le Cloarec, la référence abstraite intentionnelle de notre acte, ajoutait-il, et moi j'en rajoutais (d'où les éclats de rire et les tapes dans le dos), c'était l'horizon où se dévoilait la consistance ultime, l'ultimité con-sis-tante, de notre projet, vers lequel notre pro-jet s'ex-ta-si-ait ; mais, en attendant, disait Le Cloarec, soyons concrets, revenons au concret, et moi, jetons-nous, geworfons-nous dans l'ustensibilité déréglée du monde concret, c'est-à-dire, nous emmerdons la guerre impérialiste, donc les impérialistes, et parmi eux nous emmerdons particlièrement les impérialistes le plus particulièrement agressifs, virulents, et tiomphants, les nazis ; donc, pratiquement, nous allons participer à une manifestation patriotique sur la tombe du soldat inconnu, moi Breton, et toi, métèque, sale Espagnol rouge de mes fesses, parce qu'aujourd'hui, concrètement, c'est ça qui peut emmerder davantage les nazis et tous leurs petits amis dans la place, c'est-à-dire, justement, ceux qui ont installé ce tombeau du soldat inconnu ; et voilà, la boucle était bouclée, méthodiquement, et dialectiquement, d'où les grandes tapes dans le dos. De toute façon, nous y serions allés, à cette marche sur l'Étoile, tout ceci n'étant que pour notre galerie personnelle, nous aurions marché avec des centaines d'autres étudiants (je ne pensais pas qu'on serait si nombreux), sous le ciel gris de novembre, nous aurions forcé ce barrage de flics français, à la hauteur de Marbeuf (Le Cloarec était une force de la nature), et nous aurions vu déboucher de l'avenue Georges V cette colonne de soldats allemands en tenue de combat, ce bruit mécanique et guttural des bottes, des armes et des voix de commandement ; nous aurions foncé jusqu'à l'Étoile, de toute façon, puisque c'était cela qu'il fallait faire.

Alors, Le Cloarec a pris l'affaire en main, rondement.

Quand il nous a exposé son plan, je lui ai dit : « Tu vois, il y a quand même des idées, dans cette petite tête de Breton bretonnant, bretonneur, bretonnisé ». Et lui de rire. Et les autres de crier : « Ouest-État », en chœur, d'une voix de stentor, qui a fait se retourner sur nous la tête de Corse, de maquereau corse, ou de flic corse, du surveillant général. Mais nous étions dans la cour, en récréation, il n'avait rien à dire. Cette blague, c'est moi qui l'avais mise au point, à la grande joie de Le Cloarec. Il est tellement breton, ce Le Cloarec, j'avais dit aux autres, que son père ne savait que deux mots de français, alors ces deux mots il les criait de tout son cœur, en 14-18, quand il montait à l'assaut des tranchées allemandes, deux mots qui pour son père résumaient la grandeur de la France, l'esprit cartésien, les conquêtes de 89, ces deux mots : « Ouest-État », qu'il avait appris à lire sur les wagons de la compagnie de chemin de fer desservant la Bretagne. Et eux, depuis, de rire, et de crier en chœur « Ouest-État » chaque fois que Le Cloarec faisait des siennes, et il en faisait souvent. Mais quand je leur disais que je n'avais rien inventé, que cette histoire se trouve dans Claudel, dans un livre de l'illustre ambassadeur de France, les *Conversations dans le Loir-et-Cher*, je crois bien, ils ne voulaient pas me croire. « Tu fignoles », me disait Le Cloarec. « Tu en veux à nos gloires nationales », disait Raoul. J'avais beau insister, leur dire que tout cela Claudel le raconte, mais, sérieusement, avec des larmes entre les lignes, en s'extasiant sur cet « Ouest-État », ils ne voulaient pas me croire. Ils ne pensaient même pas à aller contrôler la vérité de mon affirmation, ils avaient décidé que c'était pure perversité de ma part, d'attribuer à Claudel une semblable connerie.

Le Cloarec, donc, je disais, a pris l'affaire en main. Tous, ils avaient été d'accord, pour marcher dans le projet du Breton. « Ouest-État », ce grand cri druidien avait été le signe de ralliement, le mot d'ordre hurlé ou chuchoté de l'action préparée. Tous, sauf Pinel, bien entendu. Pinel était le bon élève dans toute son horreur, toujours dans les trois premiers, dans quelque matière que ce fût, comme si on pouvait être dans les trois premiers, partout, sans tricher avec soi-même, sans se forcer bêtement à s'intéresser à des sujets qui n'ont vraiment aucun intérêt. Pinel avait dit qu'il ne marchait pas, il avait été scandalisé de ce projet, nous l'avons traîné dans la boue et depuis lors nous lui avons fait, dans la mesure du possible, la vie impossible. Au prochain cours de mathémathiques, donc, quand Rablon est entré sans regarder personne (car il était de petite taille et attendait d'être monté sur l'estrade pour nous lancer un regard foudroyant), nous avions tous, sauf Pinel, cousu sur notre poitrine une étoile jaune, avec les quatre lettres de « juif », zébrant en noir le fond jaune de l'étoile. Bloch était dans tous ses états, il faut dire, et il murmurait tout bas que nous étions fous, que c'était de la folie, et Pinel se tenait bien droit, cambrant le buste, pour qu'on voie qu'il ne portait pas l'étoile jaune, lui. Rablon, comme toujours, une fois sur l'estrade, debout, lui, le matheux, a foudroyé du regard cette classe de philosophards, de mauvaises têtes (Philo 2 était une classe traditionnellement de forts en thème et de mauvaises têtes, mélangés, je ne sais si la tradition s'en conserve, à H. IV), et son regard, tout à coup, est devenu fixe, vitreux, sa bouche s'est affaissée, je ne voyais plus que sa pomme d'Adam monter et descendre, dans une espèce de mouvement spasmodique, Rablon, pris de court, cueilli à froid par ce grand coup de poing dans sa sale gueule, cette marée d'étoiles jaunes, déferlant vers lui, s'étalant comme une vague avant de se briser, tout en hauteur, sur les gradins de la classe. Rablon, il a ouvert la bouche, j'aurais parié qu'il allait se mettre à hurler, mais sa bouche est restée ouverte, sans qu'aucun son n'en sorte, et sa pomme d'Adam, de haut en bas, se déplaçait spasmodiquement de bas en haut dans son cou maigre. Il est resté comme cela, un temps infini, et le silence dans la classe était absolu, et finalement, Rablon, il a eu une réaction inattendue, il s'est tourné vers Pinel, d'une voix hargneuse, blessante, désespérée, il a commencé à traiter Pinel de tous les noms, Pinel n'en revenait pas : « Vous voulez toujours vous distinguer, Pinel », lui disait-il, « vous ne faites jamais comme les autres », et c'est sur Pinel qu'il a croisé les feux de toutes ses questions, il lui a fait réciter toute la cosmographie, toutes les mathématiques apprises, si l'on peut dire, (Pinel, oui, les avait apprises), jusque-là, depuis le début de l'année. Et il est parti, l'heure venue, sans dire un mot, et c'est un cri unanime « Ouest-État », qui a salué la victoire de Le Cloarec, notre victoire, et nous y avons ajouté quelques « Pinel au poteau », pour faire bon poids.

« Mais non », je dis, « il était Allemand ».

Le fermier me regarde, l'air de n'y rien comprendre. Son fils, ce gars qui avait survécu au massacre du « Tabou » me regarde aussi. La mère, elle n'est pas là, elle est allée chercher quelque chose.

« Comment ? » dit le fermier.

Il avait dit, dans un des moments où il ponctuait le récit de son fils de quelque considération générale sur la vie et les hommes, il avait dit qu'avec des Français comme celui-là, comme ce Philippe qui est notre copain, la France, elle ne serait jamais perdue.

« Il était Allemand », je dis, « pas Français, Allemand ».

Michel me regarde, d'un air las, il doit penser que je vais encore emmerder tout le monde avec mon habitude de mettre au point, de mettre les « i » sous les points.

« Et encore », je dis, « il était Juif, Juif allemand ».

Michel, d'un air las, explique un peu plus clairement que ce Philippe était Hans, pourquoi ce Hans était Philippe. Ça les rend songeurs, il faut dire, ils hochent la tête, ça les impressionne, il n'y a pas à dire. Il était Juif allemand, je pense, et il ne voulait pas mourir comme un Juif, mais justement nous ne savons pas comment il est mort. D'autres Juifs, j'en ai vu mourir, en quantité, qui mouraient comme des Juifs, c'est-à-dire seulement parce qu'ils étaient Juifs comme s'ils trouvaient que c'est une raison suffisante d'être Juifs, pour mourir ainsi, pour ainsi se faire massacrer.

Mais Hans, il se trouvait que nous ne savions pas comment il était mort. Tout simplement, il arrivait toujours un moment, dans cette histoire, dans ce récit du massacre du « Tabou », et quel qu'en fût le récitant, un moment où Hans disparaissait.

Nous foulions cette herbe, parmi les arbres hauts, dans la futaie autour de ce qui avait été le « Tabou », le lendemain, (peut-être), et c'est ici, précisément, que Hans a disparu. Michel marche en avant, il frappe les tiges des hautes herbes du bout d'une baguette flexible. Je m'arrête un instant et j'écoute la forêt. Il faudrait avoir plus souvent le temps, ou l'occasion, d'écouter la forêt. J'ai passé des siècles entiers de ma vie sans pouvoir écouter la forêt. Je m'arrête et j'écoute. Cette joie sourde, paralysante, s'enracine dans la certitude de l'absolue contingence de ma présence ici, de ma radicale inutilité. Je ne suis pas nécessaire pour que cette forêt soit, bruissante, voici la source de cette sourde joie. Michel s'éloigne parmi les arbres et c'est ici que Hans a disparu. Pour finir, c'est lui qui avait pris le f. m., ce gars le disait, hier (qui sait, avant-hier). Hans n'a pas eu le temps d'écouter la forêt, dans la nuit d'hiver, il n'entendait que les bruits secs des coups de feu, en désordre, autour de lui, dans cette nuit de l'hiver où s'est produit le massa-

221

cre du « Tabou ». Il est resté seul, pour finir, accroché à son f. m., tellement content, je l'imagine, de voler aux S. S. une mort toute pétrie de résignation, de leur imposer cette mort brutale, et dangereuse pour les meurtriers, de leur imposer cette mort meurtrière, dans la nuit aveugle et désordonnée où a eu lieu le massacre du « Tabou ».

Michel revient vers moi et crie.

« Alors! » crie-t-il.

« J'écoute », je lui réponds.

« Tu écoutes quoi? » demande-t-il.

« J'écoute, simplement. »

Michel arrête de faucher les hautes tiges des herbes et écoute, à son tour.

« Eh bien? » dit-il, ensuite.

« Rien. »

Je marche jusqu'à l'endroit où il se tient, debout, la baguette flexible à bout de bras, avec laquelle il fauchait les tiges des hautes herbes. Je lui offre une cigarette. Nous fumons, en silence.

« Il était où, le camp, tu te souviens? » demande Michel.

« Par là », je dis, « vers la droite ».

Nous nous remettons en marche. La forêt est muette, à présent. Le bruit de nos pas fait taire la forêt.

« C'est toi qui m'as raconté une histoire de marche en forêt, la nuit, d'une longue marche en forêt, pendant des nuits et des nuits? » je demande à Michel.

Il me regarde et il regarde ensuite autour de lui. Nous marchons en forêt, mais c'est le jour, le printemps.

« Je ne sais pas de quoi tu parles », dit Michel,

« non, je ne me souviens d'aucune marche en forêt, la nuit, dont j'aie pu te parler ».

Il recommence à faucher les hautes herbes, d'un geste large et précis. Je crois qu'il va finir par m'énerver ; je crois que je vais bientôt en avoir assez de le voir faire ce geste, mille fois refait, mécaniquement.

« C'est quoi, cette histoire de marche ? » demande-t-il.

« Depuis que ce type nous a raconté leur fuite, à travers la forêt, la nuit du '' Tabou '', j'ai l'impression que je vais me souvenir d'une autre marche de nuit dans la forêt. D'une autre histoire, ailleurs, mais je n'arrive pas à me souvenir. »

« Ça arrive », dit Michel. Et il recommence à faucher les herbes.

Mais nous débouchons sur la clairière où était le camp et je n'ai pas l'occasion de lui dire qu'il va bientôt m'énerver.

Les cabanes, je me souviens, étaient à demi souterraines. Les gars avaient creusé la terre, profondément, ils avaient étayé les parois avec des planches. Un mètre, à peine, de planches et de chaume, dépassait du niveau de la terre. Il y avait trois cabanes, ainsi, disposées aux trois sommets d'un possible triangle, et dans chacune d'elles il y avait de la place pour loger dix gars, au moins. Plus loin, au bout de la clairière, ils avaient construit une sorte de hangar, pour les deux tractions, la 402 et la camionnette. Les bidons d'essence sous les bâches et les branchages, étaient aussi de ce coté-là de la clairière ; tout cela a dû flamber, la nuit du « Tabou ». On voit encore des plaques rougeâtres et grises, dans les buissons, et des arbres à demi calcinés.

Nous approchons du centre de la clairière, de l'endroit où se trouvaient les cabanes. Mais la forêt est en train d'effacer toute trace de cette vie d'il y a trois ans, de cette mort déjà ancienne. On distingue encore, sous les amas de terre remuée, des bouts de planches pourries, quelques morceaux de ferraille. Mais tout cela est en train de perdre son aspect humain, son apparence d'objets façonnés par l'homme pour des besoins humains. Ces planches sont en train de redevenir du bois, du bois pourri, c'est entendu, du bois mort, c'est visible, mais du bois échappé de nouveau à tout destin humain, revenu de nouveau dans le cycle des saisons, dans le cycle de la vie et de la mort végétatives. Cette ferraille, seul un effort d'attention permettrait d'y retrouver encore la forme d'une gamelle, d'un quart en fer blanc, d'une crosse mobile de mitraillette « Sten ». Cette ferraille retourne au monde minéral, au processus d'échange avec le terreau où elle est enfouie. La forêt est en train d'effacer toute trace de cette vie ancienne, de cette mort déjà vieille, et vieillie, du « Tabou ». Nous sommes là, à pousser du pied, sans raison apparente, à remuer du pied les vestiges de ce passé, que les hautes herbes effacent, que les fougères étreignent dans leurs bras multipliés et frissonnants.

Je me disais, il y a quelques semaines, je me disais que j'aimerais bien voir ça, les herbes et les buissons, les ronces et les racines, défonçant au cours des saisons, sous la pluie persistante de l'Ettersberg, sous la neige de l'hiver, sous le soleil de l'avril bref et bruissant, défonçant sans repos, obstinément, avec cette obstination démesurée des choses naturelles, parmi les craquements des bois disjoints, et l'émiettement poussiéreux du ciment qui éclaterait sous la poussée de la forêt de hêtres, sans trêve défonçant ce paysage humain sur le flanc de la colline, ce camp bâti par des hommes, les herbes et les racines recouvrant ce paysage du camp. S'effondreraient d'abord les baraques en bois, celle du Grand Camp, d'un si joli vert, facilement confondues, noyées bientôt par la marée envahissante des herbes et des arbrisseaux, plus tard les blocks en ciment, à deux étages, et en tout dernier lieu, certainement, bien après tous les autres bâtiments, des années plus tard, demeurant debout le plus longtemps, comme le souvenir, ou bien le témoignage, le signe le plus particulier de cet ensemble, la cheminée carrée, massive, du crématoire, jusqu'au jour où les ronces et les racines auront vaincu aussi cette résistance farouche de la pierre et de la brique, cette obstinée résistance de la mort dressée au milieu des amas de buissons verts recouvrant ceci qui fut un camp d'extermination, et encore, peut-être, ces ombres de fumée dense, noire, zébrée de jaune, rôdant dans le paysage, cette odeur de chair brûlée tremblant encore sur ce paysage, alors que les derniers survivants, nous tous, depuis longtemps déjà nous aurions disparu, alors qu'il n'y aurait plus aucun souvenir réel de ceci, seulement des souvenirs de souvenirs, des récits de souvenirs rapportés par ceux qui jamais plus ne sauront vraiment, (comme on sait l'acidité d'un citron, le laineux d'un tissu, la douceur d'une épaule), ce que tout ça, réellement, a été.

« Eh bien », dit Michel, « il n'y a plus rien à chercher, ici ».

Et nous abandonnons la clairière, du côté où les

gars avaient aménagé une piste, pour les voitures, aboutissant à ce chemin forestier qui débouchait sur la route, quelques centaines de mètres plus bas. Nous sommes sur le chemin, et Michel s'arrête, de nouveau.

« Je me demande si les sentinelles étaient en place, ce jour-là », dit-il, en fronçant les sourcils.

« Comment ? » je dis.

Je regarde Michel, je ne comprends pas quelle importance ce détail peut-il bien avoir, désormais.

« Mais oui, souviens-toi » dit-il, « cette fois, nous avons fait exprès, pour voir, on est tombé sur eux, dans la clairière, les sentinelles n'étaient pas en place ».

Oui, je me souviens, on est arrivé sur eux à l'improviste, n'importe quelle patrouille de la « Feld » en balade aurait pu faire de même. On s'était engueulé là-dessus, avec les gars du « Tabou ».

« Mais quelle importance, désormais ? » je demande.

« N'empêche », dit Michel, « ils ont dû se faire surprendre, j'en suis sûr ».

« Tu commences à avoir l'esprit militaire, c'est bien, pour un archicube. »

Il me regarde et sourit.

« T'as raison », dit-il, « laissons tomber ».

« De toute façon », je fais, « si les S. S. sont venus en force, sentinelles ou pas, ils ont dû être prévenus ».

« Oui » dit Michel, en hochant la tête, « on va jusqu'à la ferme, maintenant ? »

« Bien entendu, mon capitaine, mais entrez donc, mon capitaine », dit le fermier.

Il nous fait signe d'entrer, mais avant de suivre mon capitaine à l'intérieur, je me retourne et je regarde. La ferme se dresse à deux centaines de mètres de l'orée des bois, elle surplombe sur une bonne longueur les lacets de la route qui monte vers le « Tabou ». Ils ont dû voir arriver les camions des S. S., je me demande s'ils ont eu le temps de prévenir les gars. Sûrement l'ont-ils fait, s'ils en ont eu le temps, ils étaient en très bons termes avec les gars du « Tabou », ces fermiers.

J'entre à mon tour, Michel est déjà en train de boire la goutte, c'est une chose que l'on ne saurait refuser.

« Vous avez eu le temps », je demande, quand j'ai, moi aussi, mon verre d'eau-de-vie à la main, « vous avez eu le temps de les prévenir, les gars ? »

Le fermier hoche la tête et se retourne pour crier, vers l'intérieur de la maison.

« Jeanine », crie-t-il.

Il hoche la tête et nous explique. En effet, ils ont eu le temps, c'est sa fille qui a couru jusqu'aux gars, pour les prévenir.

« Est-ce que les sentinelles étaient en place ? » demande Michel.

J'ai envie de dire que ça n'a rien à foutre, cette question, que c'est de la sénilité précoce, cet intérêt pour les sentinelles, mais le fermier a l'air perplexe, il semble prendre cette question au sérieux, on dirait presque qu'il se sent pris en faute, de ne pouvoir répondre comme il se doit à cette question imbécile.

« Je comprends bien, mon capitaine », dit-il, « il faudra demander à Jeanine, si elle se souvient de ce détail ».

Mais il se rattrape en vitesse.

« C'est-à-dire, c'est une question importante...

Les sentinelles, mon capitaine, je comprends bien, les sentinelles... »

Et il hoche la tête longuement, avant de vider son verre d'eau-de-vie, d'un brusque mouvement en arrière de tout son corps.

Jeanine, et puis sa mère, et puis la femme du garçon de ferme, les Allemands, les ont finalement laissées tranquilles. Ils ont emmené les hommes et le bétail. C'est son fils qui n'a pas eu de chance, ils l'ont déporté en Allemagne.

« Il ne doit plus tarder à rentrer, à présent », dit le fermier, d'une voix hésitante, « il en arrive tous les jours, maintenant, les journaux le disent ».

Michel me regarde, je regarde le fermier, le fermier ne regarde nulle part. Il se fait un silence.

« Vous avez eu de ses nouvelles, depuis qu'on l'a emmené en Allemagne ? », demande Michel, finalement.

« La mère en a eu deux fois », dit le fermier, « jusqu'au débarquement. Ensuite, plus rien. Même qu'on l'obligeait à écrire en allemand. Je me demande comment il a fait, le gosse ».

« Un copain l'aura écrite », je dis, « il y a toujours des copains qui savent l'allemand et qui aident ceux qui ne le savent pas. C'est la moindre des choses ».

Le fermier hoche la tête et nous sert une nouvelle tournée.

« Il était dans quel camp, votre fils ? », demande Michel.

« A Buckenval », dit le fermier.

Je me demande pourquoi il prononce ainsi, mais le fait est que la plupart des gens le prononcent ainsi.

Je sens que Michel ébauche un geste vers moi,

alors je laisse mon regard se vider de toute expression, je laisse les muscles de mon visage se figer, je deviens terne, spongieux, insaisissable. Je ne veux pas parler du camp avec ce fermier dont le fils n'est pas encore revenu. Ma présence ici, s'il apprenait que j'en viens, serait un coup porté à son espoir de voir encore rentrer son fils. Chaque déporté qui rentre, et qui n'est pas son fils, porte atteinte aux chances de survie de son fils, aux chances de le voir rentrer vivant. Ma vie à moi, revenue de là-bas, augmente les possibilités de mort de son fils. J'espère que Michel comprendra ça, qu'il ne va pas insister.

Mais une porte s'ouvre, au fond, et Jeanine entre.

« Oui », dit Jeanine, « je m'en souviens très bien de votre copain ».

Nous marchons dans la forêt, de nouveau, vers la clairière du « Tabou ».

« Quel âge aviez-vous, à ce moment-là ? », je demande.

« Seize ans », dit Jeanine.

Nous avons mangé à la ferme, nous avons entendu, une autre fois encore, le récit du massacre du « Tabou », un autre récit, différent, sur une autre perspective, mais identique, cependant, par le désordre, et la nuit, les bruits confus de la bataille, et le silence, finalement, le grand silence de l'hiver sur les hauteurs du « Tabou ». La fermière, c'est visible, rongée par l'attente, ne vivant plus que dans l'attente de son fils.

Michel est resté à la ferme, à bricoler le moteur de la traction, a-t-il dit. Je marche de nouveau vers la clairière du « Tabou », dans les hautes herbes, avec Jeanine, qui avait seize ans, à ce moment-là, et qui se souvient très bien de mon copain.

« Il venait parfois jusqu'à la ferme, les derniers jours, avant la bataille », dit Jeanine.

En réalité, toute l'affaire a duré quelques heures, mais pour elle, sûrement, ces quelques heures de bruits confus, de coups de feu, les cris des S. S. envahissant la ferme, tout cela condense et représente, en fin de compte, la réalité de ces cinq longues années de guerre, toute son adolescence. C'est une bataille qui symbolise toutes les batailles de cette longue guerre, dont les échos parvenaient, assourdis, jusqu'à cette ferme bourguignonne.

Nous sommes assis, dans la clairière du « Tabou », je froisse les herbes qui poussent sur les débris de cette guerre qui vient de finir, déjà effacée.

« Toute la nuit », dit-elle, « quand les coups de feu ont cessé, j'ai attendu qu'il arrive, j'ai guetté les bruits autour de la ferme ».

Je froisse les herbes, certaines sont coupantes.

« Je ne sais pas pourquoi », dit-elle, « mais je pensais qu'il apparaîtrait dans la nuit, sur le derrière de la ferme, peut-être ».

Je mâche une herbe, acide et fraîche comme ce printemps de l'après-guerre, qui commence.

« Je me disais qu'il serait blessé, peut-être, j'avais préparé de l'eau chaude », dit-elle, « et du linge propre, pour le panser ».

Je me souviens qu'elle avait seize ans et je mâche l'herbe acide et fraîche.

« La mère pleurait, dans une pièce du haut, elle pleurait sans arrêt », dit-elle.

J'imagine cette nuit, le silence retombé sur les hauteurs du « Tabou », la trace de Hans, à jamais disparue.

« A l'aube, j'ai cru entendre un froissement, à la porte de derrière. C'était le vent », dit-elle.

Le vent de l'hiver, sur les hauteurs du « Tabou », calcinées.

« J'ai attendu encore, j'ai attendu des jours, sans espoir », dit-elle.

Je me laisse aller en arrière, la tête enfouie dans les hautes herbes.

« Ma mère est allée jusqu'à Dijon, c'est là qu'ils avaient enfermé les hommes », dit-elle.

Je regarde les arbres, le ciel parmi les arbres; j'essaye de ne pas me souvenir de tout ça.

« J'ai parcouru la forêt, dans tous les sens, je ne sais pourquoi, mais il fallait que je le fasse », dit-elle.

Il fallait retrouver la trace de Hans, mais il n'y avait plus de trace de Hans.

« Encore maintenant », dit-elle, « je viens ici, parfois, et j'attends ».

Je regarde le ciel parmi les arbres, les arbres, j'essaye de me vider de toute attente.

« Mon frère n'est pas revenu, non plus, alors voilà », dit-elle.

Je me retourne sur le côté et je la regarde.

« Vous saviez », dit-elle, « qu'il était Allemand ? »

Je me dresse sur un coude, surpris, et je la regarde.

« Il récitait une chanson », dit-elle, « où il était question du mois de mai ».

Alors, je me laisse aller en arrière de nouveau, la tête enfouie parmi les herbes hautes. Je sens mon cœur qui bat contre la terre humide de la clairière, et c'est le mois de mai, de nouveau, « im wunderschönen Monat Mai — wenn alle Knospen blühen [1] ».

1. Le merveilleux mois de mai — quand tous les bourgeons fleurissent.

231

Je sens mon cœur qui bat et subitement je me souviens de cette marche dans la nuit, qui hantait ma mémoire, ces jours passés. Je l'entends bouger, près de moi, dans un froissement d'herbes, et sa main vient frôler mes cheveux ras. Ce n'est pas une caresse, ce n'est même pas un geste amical, c'est un tâtonnement d'aveugle qui essayerait de s'y retrouver, comme si elle explorait la signification de ces cheveux ras.

« Vous avez eu la tête rasée », dit-elle.

Je me tourne vers elle. Elle est allongée près de moi, les yeux grands ouverts.

« Vous croyez que mon frère peut encore rentrer ? ». demande-t-elle.

Alors, je lui chuchote l'histoire de cette marche dans la nuit, à travers l'Europe, c'est une façon de lui répondre, l'histoire de la longue marche de Piotr et de ses gars, dans la nuit de l'Europe. Elle écoute avec une attention passionnée. Et c'est le mois de mai, de nouveau, dans la clairière du « Tabou ».

« Tu comprends », dit la voix derrière moi, « on s'est dispersés par petits paquets, et les gars du groupe de couverture, on ne les a pas revus ».

Le gars de Semur regarde le type qui parle et il se tourne vers moi, quand le type a fini de parler.

« C'était un copain à toi », demande-t-il, « un bon copain ? »

« Oui », je fais.

Le gars de Semur hoche la tête, et c'est de nouveau le silence, dans la pénombre du wagon. C'est un sale coup, cette nouvelle de la fin du « Tabou », en plein dans l'estomac, comme ça, au cours de ce voyage. Je ne saurai pas ce qui est arrivé à Hans, jusqu'au retour de ce voyage. Et si je ne reviens pas de ce voyage, je ne saurai jamais ce qui est arrivé à Hans. S'il est resté dans le groupe de couverture, il faudra que je me fasse à l'idée de la mort de Hans. Ces jours qui viennent, ces semaines qui s'avancent, ces mois qui arrivent sur moi, il faudra que je me fasse à l'idée de la mort de Hans, c'est-à-dire, il faudra que cette idée (si tant est qu'on puisse appeler idée cette réalité opaque et fugitive de la mort de quelqu'un qui vous est proche), il faudra qu'elle se fasse à moi, que cette mort fasse partie de ma vie. Ça va prendre du temps, j'ai l'impression. Mais peut-être n'en aurai-je pas le temps, de me faire à cette idée de la mort de Hans, peut-être ma propre mort viendra-t-elle me délivrer de ce souci. Dans la boule spongieuse qui se trouve derrière mon front, entre ma nuque douloureuse et mes tempes brûlantes, où résonnent tous les lancinements de mon corps qui se brise en mille morceaux de verre coupant, dans cette boule spongieuse dont je voudrais pouvoir tirer à pleines mains (ou bien plutôt avec des pinces délicates, une fois soulevée la plaque osseuse qui la recouvre) les filaments cotonneux, et peut-être striés de sang, qui doivent remplir toutes les cavités et qui m'empêchent d'y voir clair, qui m'embrument tout l'intérieur, ce qu'on appelle la conscience, dans cette boule spongieuse se fraie un chemin l'idée que peut-être ma mort n'arrivera pas à être quelque chose de vraiment réel, c'est-à-dire, quelque chose qui fasse partie de la vie de quelqu'un, au moins de quelqu'un. Peut-être la possibilité de ma mort comme quelque chose de réel me sera-t-elle refusée, même cette possibilité, et je cherche avec désespérance à qui je pourrais manquer, quelle vie je pourrais creuser, hanter, par

233

mon absence, et je ne trouve pas, en ce moment précis je ne trouve pas, ma mort n'a pas de possibilité réelle, je ne pourrais même pas mourir, je ne pourrais que m'effacer, tout doucement me faire gommer de cette existence, il faudrait que Hans vive, que Michel vive, pour que je puisse avoir une mort réelle, qui morde sur le réel, pour que je ne m'évanouisse pas tout simplement dans la pénombre puante de ce wagon.

Quand le Dr Haas m'a demandé mes papiers, à Epizy, c'est-à-dire, près de Joigny, dans la maison d'Irène, et bien entendu, je ne savais pas encore que c'était le Dr Haas, je suis simplement entré dans la cuisine, encore tout ensommeillé, et Irène m'a dit, d'une voix calme, d'une voix douce : « C'est la Gestapo, Gérard », elle souriait, j'ai vaguement entrevu les silhouettes des deux hommes et de la femme blonde, une interprète, celle-ci, j'ai su plus tard, et l'un des hommes a aboyé : « Vos papiers », quelque chose dans ce genre, quelque chose en tout cas de très facile à comprendre, alors j'ai fait le geste de sortir mon « smith and wesson », mais non, ce jour-là, j'avais un revolver canadien, dont le barillet ne basculait pas latéralement, dont la crosse et la chambre de percussion se pliaient en arrière, sur un axe fixe, pour dégager le barillet, mais je n'ai pas pu achever mon geste, le revolver a dû s'accrocher à la ceinture de cuir par la partie renflée où se trouve le barillet, il ne venait pas, et le deuxième homme m'a assommé d'un coup dans la nuque, je suis tombé à genoux, je ne pensais obstinément qu'à sortir mon arme, qu'à avoir la force de sortir mon arme et de tirer sur ce type en chapeau mou, aux dents en or, sur tout le devant de la bouche, c'était la seule chose importante qui me restait à faire, dégager le revolver et tirer sur ce type, la seule chose autour de laquelle je puisse concentrer mon attention, ma vie ; mais le type au chapeau mou, à son tour, de toute sa force m'a frappé sur le haut du crâne avec la crosse d'un pistolet, sa bouche ouverte dans un rictus avec plein de dents dorées dedans, le sang a jailli à flots sur mes yeux déjà embrumés par le sommeil, la femme blonde poussait des cris aigus, et je n'arriverais plus à sortir ce putain de revolver canadien. J'avais du sang sur le visage, cette tiédeur fade était le goût de la vie, je pensais avec une sorte d'exaltation, n'imaginant pas que le type au chapeau mou puisse faire autre chose, à ce moment donné, que me tirer dessus, à bout portant, en voyant la crosse de mon revolver que j'essayais toujours, mais vainement, de dégager. Et pourtant, même à ce moment-là, je n'arrivais pas à réaliser cette mort si proche, si vraisemblable, comme une réalité nécessaire ; même à cette minute où elle semblait fondre sur moi, où elle aurait dû, logiquement, fondre sur moi, la mort demeurait au-delà, comme une chose, ou un événement, irréalisable, ce qu'elle est, en fait, irréalisable sur le plan de la seule individualité. Plus tard, chaque fois qu'il m'est arrivé de frôler la mort (comme si la mort était un accident, ou bien un obstacle solide sur lequel on viendrait buter, se heurter, cogner, taper dedans), la seule sensation réelle que cela a provoqué c'est une accélération de toutes les fonctions vitales, comme si la mort était une chose à laquelle on pouvait penser, avec toutes les variantes, toutes les formes et nuances de la pensée, mais nullement une chose qui puisse vous arriver. Et c'est ainsi, en fait, c'est la seule chose, mourir, qui ne pourra jamais m'arriver, dont je n'aurai jamais l'expérience personnelle. Mais la mort de Hans, cependant, voilà une chose qui m'était bel et bien arrivée, qui ferait partie de ma vie, désormais.

Ensuite, il y a le vide. Depuis seize ans, j'essaye de cerner ces quelques heures qui s'écoulent entre la conversation avec le gars du « Tabou » et la nuit de folie qui nous attendait, j'essaye de pénétrer dans la brume de ces quelques heures qui ont dû, forcément, s'écouler, d'arracher, bribe par bribe, la réalité de ces quelques heures, mais presque en vain. Parfois, dans un éclair, je me souviens, non pas de ce qui s'est passé, car il ne s'y est rien passé, il ne s'est rien passé, jamais, à aucun moment de ce voyage, mais des souvenirs et des rêves qui m'ont hanté ou habité le long de ces heures qui manquent à mon voyage, à ma mémoire parfaite de ce voyage, où il ne manque autrement pas un pli du paysage, pas un mot de ce qui a été dit, pas une seconde de ces longues nuits interminables ; mémoire tellement accomplie que si je me consacrais à raconter ce voyage, dans ses détails et ses détours, je pourrais voir les gens autour de moi, qui auraient bien voulu commencer à m'écouter, ne fût-ce que par politesse, je pourrais les voir languir d'ennui et puis mourir, doucement s'affaisser sur leurs sièges, s'enfonçant dans la mort comme dans l'eau à peine courante de mon récit, ou bien je les verrais sombrer dans une folie, peut-être furieuse, ne supportant plus l'horreur paisible de tous les détails et les détours, les allers, les retours, de ce long voyage d'il y a seize ans. Ici, bien entendu, je résume. Mais ça m'irrite, quand même, arrivé à ce point, de ne pouvoir saisir pleinement, de ne pouvoir démasquer, seconde par seconde, ces quelques heures qui me narguent et s'enfoncent toujours plus loin, à mesure que je débusque quelque proie, minime il est vrai, du souvenir perdu de ces heures-là.

Je n'en retrouve que des bribes. Ainsi, c'est au cours de ces heures qu'il y a eu, forcément, car j'ai eu beau éplucher tout le reste du voyage, minute par minute, je n'ai pas trouvé de place pour le caser, ce rêve, ou ce souvenir, précis dans sa confusion, se détachant clairement, comme un point violemment lumineux dans un brouillard alentour, le rêve ou le souvenir de ce lieu calme, aux odeurs d'encaustique (des livres, plein de rangées de livres) où je me réfugiais, où je fuyais la moiteur puante du wagon, ce grand silence au parfum de cire et de chêne, de chêne ciré, où je plongeais pour fuir le brouhaha sans cesse croissant du wagon, bientôt, la nuit tombée, atteignant son paroxysme. Je ne crois pas, au cours du voyage même, avoir identifié ce lieu calme, cet endroit de rêve, avec le bruit des pages froissées, feuilletées, l'odeur du papier, de l'encre, mêlée aux senteurs d'encaustique, et cette vague impression que ce lieu lui-même était entouré de calme, de silence ouaté, d'arbres dépouillés, tout cela confusément, non pas une certitude, un vague soupçon de tout ce calme enchâssant ce lieu calme. Plus tard, bien sûr, ce fut un jeu d'enfant, d'identifier ce rêve, ou ce souvenir, cette nostalgie brumeuse et claire, brillante et opaque à la fois, au milieu du cauchemar très réel du wagon. C'était la librairie, et plus précisément, le premier étage de la librairie de Martinus Nijhoff, à La Haye. Aujourd'hui, vingt-trois ans après, je pourrais encore, les yeux fermés, monter cet escalier, je saurais encore m'y retrouver, parmi les longues rangées de livres du premier étage.

Nijhoff, en général, se tenait au rez-de-chaussée, il me regardait passer vers l'escalier avec des yeux pétillants derrière les verres cerclés d'or. Au premier étage se trouvaient les rayons de livres français, neufs et d'occasion, et j'y passais des heures à lire des bouquins que je ne pouvais m'offrir. Une lumière placide baignait la grande salle, cette belle lumière dense, sans arêtes coupantes, de l'hiver nordique, une luminosité sphérique, irradiant par égal les plans rapprochés et les plans lointains, tamisée dans la grande salle encombrée de rayonnages sévères (et cette odeur d'encaustique devenait en quelque sorte l'équivalent sensible du puritanisme un peu hautain, et combien fragile, dérisoire tout compte fait, de l'ensemble) par les verrières nervurées de plomb cerclant les bouts de vitre colorée, disposés çà et là, selon un ordre vieillot et un tant soit peu monotone. Mais tout ceci, bien entendu, ne fait pas partie de ce rêve-là, au cours de ce voyage. Ce rêve-là n'était que la nostalgie de ce lieu calme et clos, non identifié clairement, ne débouchant sur rien d'autre que sur le sentiment confus d'une perte irréparable, d'un manque impossible à combler, dans la puanteur moite du wagon, traversée bientôt de cris échevelés. Ni l'air souriant et benoît de Nijhoff, ni les avenues dépouillées par l'hiver, ni les canaux gelés, ni la longue course au sortir du « Tweede Gymnasium ». jusqu'à ce lieu calme et clos, ne font partie de ce rêve, ou plutôt de ce souvenir lancinant, bien qu'imprécis, qui est venu m'assaillir au cours de ces heures mornes, entre la conversation avec le gars du « Tabou » et la nuit de Walpurgis qui nous attendait. Ce lieu calme et clos n'était que l'un des points autour desquels s'organisait mon univers enfantin, battu en brèche, de toutes parts, par les rumeurs grondantes du monde, les hurlements à la radio, lors de l'Anschluss de Vienne, et la stupeur morne et stupide de septembre 38, qui signait la défaite de mon pays, battu de toutes parts, comme les digues de Scheveningen, au bout des arbres et des dunes, sur lesquelles déferlaient les marées d'équinoxe, cette mer sur laquelle il fallait lever le regard, vers laquelle il fallait monter, au débouché des arbres et des dunes, qui semblait sur le point, à chaque minute, de déferler vers la terre ferme en contrebas. Chez Martinus Nijhoff, ces longues séances de lecture n'étaient qu'une halte, et le pressentiment m'en tourmentait déjà, sur la longue route de l'exil, commencée à Bayonne, mais non, en réalité commencée déjà avant, cette nuit de réveil en sursaut, dans la maison des dernières vacances, au pied des pinèdes, tout le village se mettant en marche, dans le silence haletant, lorsque le brusque embrasement des collines et l'arrivée des réfugiés du village le plus proche, vers l'est, ont annoncé l'approche des troupes italiennes de Gambara piétinant le pays basque. (Des hommes, à l'entrée du pont, dressaient une barricade de sacs de sable, ils avaient des fusils de chasse, des boîtes de conserve remplies de dynamite, j'en connaissais certains, des pêcheurs rencontrés sur le port, au cours de ces étés, des joueurs de pelote qui montaient à Mendeja, sur le fronton accoté à la vieille église, pour recommencer éternellement une éternelle partie entre équipes rivales, la balle de cuir claquant sur les mains nues, ou heurtant, dans un bruit déchirant, le liseré de fer marquant sur le mur de face la limite inférieure de la surface de jeu ; ils regardaient les collines embrasées par l'incendie, ils serraient sur leur cœur les fusils de chasse, ils fumaient en silence ; s'écarter d'eux, les laisser derrière cette barricade inutile, face aux blindés de Gambara, c'était trancher les liens les plus essentiels, c'était s'engager sur la route de l'exil, on aurait voulu grandir de quelques années, tout à coup, pour rester avec eux, on s'est promis, confusément, dans un terrible désespoir enfantin, de combler ce retard, de rattraper ce temps perdu, de quelque façon que ce fût ; mais on s'éloignait déjà, on partait à la dérive, dans le flot nocturne de cette foule glissant sur ses espadrilles au bruit rugueux sur l'asphalte de la route en corniche, au dessus de la mer et des rumeurs du ressac ; on s'éloignait, voilà, on était partis, il faudrait attendre des années, une longue nuit d'années trouées d'incendies, de coups de feu, avant de prendre sa place, de pouvoir tenir sa place, à côté d'autres hommes, les mêmes hommes, derrière d'autres barricades, les mêmes barricades, le même combat non encore terminé.) Chez Nijhoff, les odeurs d'encaustique, le bruit des pages froissées, la chaleur engourdissante, après la longue course contournant les canaux gelés, parmi les fantômes d'arbres dépouillés par l'hiver, ce n'était qu'une halte, relativement brève, dans cet interminable voyage de l'exil.

Le gars de Semur, en tout cas, n'a plus parlé, durant ces quelques heures qui ont précédé la nuit de folie, la dernière nuit de ce voyage. Peut-être était-il déjà en train de mourir, c'est-à-dire, la mort était-elle déjà en train de ramasser ses forces et ses ruses, pour un dernier assaut, un déferlement subit à travers les artères, un froid caillot d'ombre s'avançait. Il ne disait plus rien, en tout cas. Tout à l'heure, il va ouvrir la bouche, dans un élan désespéré, « ne me laisse pas, vieux », et il va mourir, c'est-à-dire, sa mort va arriver à son terme. Toutes les conversations, d'ailleurs, se sont éteintes, toutes les paroles tues, au cours de ces heures. Une hébétude gangueuse nous gagnait, un silence magmeux, bouillonnant comme une vase de bulles de cris retenus, de brusques sursauts de colère ou d'épouvante, en ondes concentriques, où ce n'était plus ni moi, ni lui, ni toi, qui criait ou chuchotait, mais le magma gangueux que nous formions, par ces cent dix-neuf bouches anonymes, jusqu'à l'éclatement final du désespoir, des nerfs mis à vif, de l'épuisement des ultimes ressorts de volonté.

Chez Martinus Nijhoff, maintenant que j'y pense, il a dû m'arriver aussi d'y aller au printemps, parmi la moiteur des arbres verts et des canaux aux eaux à peine courantes, mais toujours le souvenir qui surgit spontanément est celui de la blancheur crissante de l'hiver, des arbres dépouillés, se découpant dans cette lumière grise, mais infiniment irisée, dont on ne sait plus, tout compte fait, si c'est la lumière réelle ou celle des peintres qu'on allait contempler au Rijksmuseum ou au musée Boymans, la lumière de Delft ou celle de Vermeer van Delft. (Et cette question, il est aisé de s'en apercevoir, se complique étrangement du fait de la fausseté même de certains tableaux de Vermeer, fausseté tellement vraie, c'est-à-dire, qui colle tellement à la réalité de cette lumière dont je parle, qu'il est parfaitement byzantin d'essayer de savoir qui a limité l'autre, peut-être est-ce, avec quelques siècles de prémonition, Vermeer qui a imité van Meegeren, qu'est-ce que ça changerait, je vous le demande, en tout cas, à Cimiez, dans la villa où van Meegeren avait vécu sous l'occupation allemande, et où j'ai passé quelques jours, chez les amis qui l'habitaient alors, c'est bien dommage mais il ne restait plus un seul faux van Meegeren ou vrai Vermeer, puisque c'est la fausseté des tableaux du faussaire qui a porté jusqu'à sa plus grande perfection la vérité ébauchée par Vermeer, la vérité de cette lumière grise, irisée d'en dedans, qui m'enveloppait tandis que je courais, parmi les arbres dépouillés, vers la librairie de Martinus Nijhoff.)

Je courais, donc, désespérément, vers ce lieu calme et clos, mais chaque fois, au moment de l'atteindre, au moment où le souvenir semblait se préciser, où peut-être étais-je sur le point de reconnaître cet endroit, de l'identifier, une secousse de la masse des corps haletants, un cri aigu, surgi des entrailles mêmes de l'épouvante sans rémission, me happait de nouveau, me tirait en arrière, me faisait retomber dans la réalité du cauchemar de ce voyage.

« Il faut faire quelque chose, les gars » dit une voix derrière nous.

Je ne vois pas très bien ce que l'on pourrait faire, sinon attendre, se cramponner à soi-même, résister. Le gars de Semur non plus, ne doit pas voir, il hoche la tête, dubitatif, ou peut-être, tout simplement, hébété. Mais il y a toujours quelqu'un qui prend la situation en main, quand la situation devient intenable, il y a toujours une voix qui surgit de la masse des voix anonymes, qui dit ce qu'il faut faire, qui indique les chemins, peut-être sans issue, souvent sans issue, mais des chemins où engager les énergies encore latentes, dispersées. A ces moments, lorsque cette voix retentit, et toujours elle retentit, la simple agglomération d'être rassemblés par hasard, informe, révèle une structure cachée, des volontés disponibles, une étonnante plasticité s'organisant selon des lignes de force, des projets, en vue de fins peut-être irréalisables, mais qui confèrent un sens, une cohérence, aux actes humains même les plus dérisoires, même les plus désespérés. Et toujours cette voix se fait entendre.

« Les gars, il faut faire quelque chose », dit cette voix derrière nous.

C'est une voix nette, précise, qui tranche sur le brouhaha de toutes les autres voix, affolées, à l'agonie. Tout à coup on étouffe, tout à coup on n'en peut plus, tout à coup les gars commencent à s'évanouir, ils s'effondrent, ils en entraînent d'autres dans leur chute, ceux qui tombent sous la masse des corps étouffent à leur tour, poussent de toutes leurs forces pour se dégager, n'y arrivent pas, ou à peine, crient de plus belle, hurlent qu'ils vont mourir, cela fait un vacarme assourdissant, un désordre absolu, on se sent tiraillé de droite et de gauche, on trébuche sur les corps effondrés, on est aspiré vers le centre du wagon, repoussé aussitôt vers les parois, et le gars de Semur a la bouche ouverte comme un poisson, il essaye d'engloutir le plus d'air possible, « donnez-moi la main » crie un vieillard. « J'ai la jambe prise là-dessous, elle va casser », crie le vieillard, un autre, vers la droite, tape comme un forcené autour de lui, à l'aveuglette, on lui saisit les bras, il se dégage avec un hurlement féroce, il est assommé finalement, il tombe, on le piétine, « c'est de la folie, les gars, remettez-vous, gardons le calme », dit quelqu'un désespérément, « il faudrait de l'eau », dit un autre, « c'est facile à dire, où veux-tu qu'on la cherche, l'eau? » et puis cette plainte, à l'autre bout du wagon, cette plainte interminable, inhumaine, dont on souhaite pourtant ne pas entendre la fin, qui voudrait dire que cet homme, cette bête, cet être qui la pousse est mort, cette plainte inhumaine est le signe encore d'une vie d'homme se débattant, le gars de Semur a un type près de lui qui vient de s'évanouir, il a failli culbuter, il s'accroche à moi, j'essaye de prendre appui d'une main sur la paroi du wagon vers laquelle nous avons été rejetés, peu à peu, je me redresse le plus possible, le gars de Semur arrive à retrouver son équilibre, il sourit, mais il ne dit rien, il ne dit plus rien, il y a longtemps, je me souviens, j'avais lu le récit de l'incendie du « Novedades », un théâtre, la panique qui s'ensuivit, les corps piétinés, mais peut-être, je n'arrive pas à éclaircir, ce point, peut-être n'était-ce pas une lecture enfantine d'un journal dérobé, peut-être était-ce le souvenir d'un récit entendu, peut-être cet incendie du « Novedades », cette panique, se sont produits avant que je n'aie eu l'âge d'en lire le récit dans un journal dérobé sur la table du salon, je n'arrive pas à éclaircir ce point, c'est une question futile, de toute façon, je me demande comment je peux m'intéresser à une question pareille, en ce moment, quelle importance vraiment cela peut-il avoir que j'en aie entendu le récit, de la bouche de quelque grande personne, peut-être Saturnina, ou que je l'aie lu moi-même, dans quelque journal dont la première page aurait été barrée, je suppose, par les gros titres d'un fait divers si passionnant.

« Dites, les gars, il faut m'aider », fait de nouveau le type.

« T'aider ? » je demande.

Il s'adresse à moi, visiblement, au gars de Semur aussi, à tous ceux qui l'entourent et n'ont pas encore été saisis, renversés, bousculés, mis hors de combat par le tourbillon de panique qui se déchaîne dans le wagon.

« Il faut ranimer les gars qui s'évanouissent, les remettre debout », dit le type qui a pris la situation en main.

« Ce serait pas mal », je fais, pas convaincu.

« Il y aura des morts, sinon, des gars piétinés, d'autres qui vont étouffer », dit le type.

« Je n'en doute pas », je lui réponds, « mais des morts, il va y en avoir de toute façon ».

Le gars de Semur écoute, il hoche la tête, il a toujours la bouche grande ouverte.

« Il faut me trouver des récipients », dit le type, d'une voix autoritaire, « des boîtes de conserve vides, quelque chose ».

Je regarde autour de moi, machinalement, je cherche du regard des récipients, des boîtes de conserve vides, quelque chose, comme il dit, ce type.

« Pourquoi faire ? » je demande.

Je ne vois pas du tout ce qu'il veut faire avec des récipients, des boîtes de conserve vides, quelque chose, comme il dit.

Mais la voix autoritaire commence à faire son effet. On appelle le type, de-ci, de-là, des mains lui tendent, dans la pénombre hurlante et moite du wagon, un certain nombre de boîtes de conserve vides.

Je regarde le type, ce qu'il va bien faire, comme on regarde au cirque quelqu'un qui commence à préparer son numéro et que l'on ne sait pas encore s'il va jongler avec ces assiettes et ces boules, ou les faire disparaître, ou les transformer en lapins vivants, en blanches colombes, en femmes à barbe, en belles jeunes femmes douces et absentes, l'air absent, vêtues d'un maillot rose piqueté de strass brillant. Je le regarde, comme au cirque, je n'arrive pas encore à m'intéresser à ce qu'il fait, je me demande simplement s'il va réussir son numéro.

Le type choisit les plus grandes boîtes de conserve, il laisse tomber les autres.

« Maintenant », dit-il, « il faut pisser dans ces boîtes, les gars, tous ceux qui peuvent, il faut me remplir ces boîtes ».

Le gars de Semur, sa mâchoire inférieure s'en décroche, d'étonnement, il hoche la tête de plus belle. Mais je crois deviner ce qu'il veut faire, ce type, je crois avoir compris quel est son numéro.

« On n'a pas d'eau, les gars », dit-il, « alors on va tremper des mouchoirs dans l'urine, on va sortir les mouchoirs trempés dans l'air de la nuit, ça fera des compresses froides, pour ranimer ceux qui s'évanouissent ».

C'est à peu près ça que j'avais cru deviner.

Les gars, autour de moi, se mettent à pisser dans les boîtes de conserve. Quand elles sont pleines, le type les distribue, réunit des mouchoirs, qu'il trempe dans l'urine, qu'il passe ensuite à ceux qui se trouvent près de l'ouverture, pour qu'ils les agitent dans l'air glacé de la nuit. Ensuite, nous nous mettons au travail, sous les ordres de ce type. Nous ramassons ceux qui se sont effondrés, nous leur collons les mouchoirs humides et glacés sur le front, sur le visage, nous les rapprochons le plus possible de l'air frais de la nuit, ça les ranime. Le fait d'avoir une activité soutient les autres, ceux qui ne s'étaient pas encore trouvés mal, ça leur donne des forces, ça les calme. A partir de notre coin, ainsi, le calme gagne progressivement, s'étend vers le reste du wagon en ondes, concentriques.

« Fermez la bouche, fermez les yeux », dit le type, « quand vous aurez les mouchoirs sur la figure ».

La panique cesse, peu à peu. Il y a toujours des gars qui s'effondrent, mais ils sont aussitôt pris en main, poussés vers les ouvertures, vers les porteurs de boîtes de conserve remplies d'urine. On les ranime, avec de grandes claques, parfois, des mouchoirs mouillés et glacés sur les visages inertes.

« Elle est vide, ma boîte », dit quelqu'un, « faudrait voir à me la remplir ».

« Passe-la par là », dit un autre, « j'en ai à te donner ».

Des rires, même, recommencent à fuser. Des plaisanteries de corps de garde.

Certains, bien entendu, il n'y a rien eu à faire, pour les ranimer. Ils étaient bel et bien morts. Tout à fait morts. Nous les avons rassemblés, près du premier cadavre de ce voyage, celui du petit vieux qui a dit : « Vous vous rendez compte ? » et qui est mort, tout de suite après. Nous les avons rassemblés, pour qu'ils ne soient pas piétinés, mais ça n'a pas été une mince affaire, dans la cohue moite du wagon. Le plus simple, c'était encore de maintenir les cadavres en position horizontale, de les faire avancer ainsi, de main en main, jusqu'à l'endroit où nous avions décidé de tous les rassembler. Soutenus par des bras invisibles, les cadavres aux yeux fixes, ouverts sur un monde éteint, avaient l'air d'avancer par eux-mêmes. La mort était en marche dans le wagon, silencieusement, une force irrésistible avait l'air de pousser ces cadavres vers leur ultime action. C'est ainsi, je l'ai appris plus tard, que les copains allemands faisaient monter sur la place d'appel les cadavres des détenus morts dans la journée. C'était aux premiers temps, aux temps héroïques, où les camps étaient de vrais camps ; maintenant, paraît-il, ce ne sont plus que des sanas, c'est en tout cas ce que disaient les anciens, avec mépris. Les S. S. passaient en revue les rangs impeccables des détenus, alignés en carrés, block par block. Dans le centre du carré, les morts, debout, soutenus par des mains invisibles, faisaient bonne contenance. Ils raidissaient très vite, dans le froid glacial de l'Ettersberg, sous la neige de l'Ettersberg, sous la pluie de l'Ettersberg, ruisselant sur leurs yeux morts. Les S. S. faisaient leur compte et c'était le chiffre établi, et contrôlé deux fois plutôt qu'une, qui servait à fixer les rations du lendemain. Avec le pain des morts, avec la portion de margarine des morts, avec leur soupe, les copains faisaient un fonds de nourriture pour venir en aide aux plus faibles, aux malades. Sur la place d'appel, avec la pluie de l'Ettersberg ruisselant sur leurs yeux éteints, avec la neige s'accrochant à leurs cils et à leurs cheveux, les cadavres des copains morts dans la journée rendaient un fier service aux vivants. Ils aidaient à vaincre, provisoirement, la mort qui guettait tous ces vivants.

C'est alors que le train, une fois de plus s'est arrêté.

Un silence se fait dans le wagon, d'une qualité particulière, pas le silence produit par l'absence momentanée et due au seul hasard des bruits ambiants, mais un silence d'affût, d'attente, de respirations retenues. Et de nouveau, comme chaque fois où le train s'est arrêté, une voix demande si on est arrivés, les gars.

« On est arrivé, les gars? » demande la voix.

Une fois de plus, personne ne répond. Le train siffle, dans la nuit, deux fois. Nous prêtons l'oreille, attentifs, tendus par l'attente. Les gars ne pensent même plus à s'évanouir.

« Qu'est-ce qu'on voit? » demande quelqu'un.

C'est une question habituelle, également.

« Rien », dit l'un de ceux qui se trouvent près d'une ouverture.

« Pas de gare? » demande-t-on encore.

« Rien, quoi », c'est ce qu'on répond.

Des bruits de bottes, sur le ballast de la voie, tout à coup.

« Ils viennent. »

« Ils doivent faire une ronde, chaque fois qu'on s'arrête ils font une ronde. »

« Demande-leur où on est. »

« Quelqu'un, oui, qu'il leur demande si on arrive bientôt. »

« Tu crois qu'ils vont répondre. »

« Ils se foutent bien de savoir si on en a marre. »

« Tu parles, bien sûr, ils ne sont pas payés pour ça »

« Des fois, on tombe sur des types corrects, ils répondent. »

« Des fois ma tante en avait deux, c'était mon oncle. »

« Ta gueule, des fois ça m'est arrivé. »

« T'es l'exception qui confirme la règle, vieux. »

« Sans blague, à Fresnes, une fois... »

« Raconte pas ta vie, tu nous emmerdes. »

« Ça m'est arrivé, quoi, c'est tout. »

« Oh, vos gueules, laissez-nous écouter! »

« Il n'y a rien à écouter ils font une ronde, c'est tout. »

Mais le silence se fait, de nouveau.

Les bruits de bottes se rapprochent, ils sont là, au pied même du wagon.

« C'est un soldat, tout seul », chuchote un type près de l'ouverture.

« Demande-lui, bon Dieu, qu'est-ce qu'on risque?»

« Monsieur », dit le type, « eh, monsieur! »

« Merde », dit quelqu'un, « quelle façon de s'adresser à un boche ».

« Eh quoi », dit quelqu'un d'autre, « on demande un renseignement, faut être poli ».

Des rires désabusés grincent.

« Cette politesse, bien française, elle nous perdra », fait une voix, sentencieuse.

« Dites, monsieur, vous ne savez pas, est-ce qu'on est arrivés, bientôt? »

Dehors, le soldat répond, mais on ne comprend pas ce qu'il dit, on est trop loin.

« Qu'est-ce qu'il dit? » demande quelqu'un.

« Oh merde, attendez, il nous dira après, le gars. »

« Mais bien sûr », dit le gars, « on n'en peut plus, là-dedans ».

La voix de l'Allemand s'élève de nouveau, dehors, mais on n'entend pas ce qu'elle dit, toujours pas.

« C'est vrai ça? » dit le gars qui parle avec le soldat allemand.

La voix de ce soldat invisible bruit de nouveau, dehors, indistinctement.

« Eh bien, merci, merci beaucoup, monsieur », dit le gars.

Le bruit de bottes reprend sur le ballast et s'éloigne.

« Merde alors, ce que t'es poli, vieux! » dit le même type de tout à l'heure.

« Alors, qu'est-ce qu'il a dit ? »

Les questions fusent de toutes parts.

« Laissez-le raconter, bon dieu, au lieu de braire », gueule quelqu'un.

Le gars raconte.

« Voilà, quand je lui ai demandé si on était bientôt arrivés, il me répond : vous êtes tellement pressés d'arriver ? et il hoche la tête. »

« Il a hoché la tête ? » demande quelqu'un, vers la droite.

« Il a hoché la tête, c'est ça », dit le gars qui raconte sa conversation avec le soldat allemand.

« L'air de vouloir dire quoi ? » demande le même type, vers la droite.

« Tu nous les brises, merde, qu'est-ce que ça fout, qu'il hoche la tête », crie quelqu'un d'autre.

« L'air de vouloir dire qu'à notre place, il ne serait pas si pressé d'arriver », dit celui qui a parlé avec le soldat allemand.

« Et pourquoi donc ? » demande-t-on, vers le fond.

« Oh, ça va, fermez vos gueules, est-ce qu'on est bientôt arrivés, oui ou non ? » crie une voix exaspérée.

« Il a dit qu'on était arrivés, pratiquement, qu'on allait s'engager sur la voie qui conduit à la gare du camp. »

« On va dans un camp ? Un camp comment ? » fait une voix, étonnée.

Un concert d'imprécations s'élève, autour de cette voix étonnée.

« Tu croyais qu'on allait en colonie de vacances, merde, d'où sors-tu, bon sang ? »

Le type se tait, il doit ruminer cette découverte.

« Mais pourquoi il a hoché la tête? Je voudrais bien savoir pourquoi il a hoché la tête », fait le type de tout à l'heure, obstiné.

Personne ne fait plus attention à lui. Tout le monde se laisse aller à la joie de penser qu'il est bientôt fini, ce voyage.

« T'as entendu, vieux? » je dis au gars de Semur, « on est arrivés, pratiquement ».

Le gars de Semur sourit faiblement et il hoche la tête, comme ce soldat allemand a fait, tout à l'heure, si on en croit le type qui a parlé avec lui. Ça n'a pas l'air de l'emballer, le gars de Semur, cette idée qu'on est au bout du voyage, pratiquement.

« Ça ne va pas, vieux? » je demande au gars de Semur.

Il ne répond pas aussitôt et le train démarre, avec une brusque secousse, dans un grand bruit d'essieux qui grincent. Le gars de Semur a basculé en arrière, et je le retiens. Ses bras s'accrochent à mes épaules et la lumière d'un projecteur qui balaye le wagon éclaire un instant son visage. Il a un sourire figé et un regard de surprise intense. La pression de ses bras sur mes épaules devient convulsive et il crie, à voix basse et rauque : « Ne me laisse pas, vieux. » J'allais lui dire de ne pas déconner, ne déconne pas, vieux, comment pourrais-je le laisser, mais son corps se raidit brusquement et il devient lourd, j'ai failli m'écrouler au milieu de la masse sombre et haletante dans le wagon, avec ce poids, subitement, de pierre lourde et morte à mon cou. J'essaye de prendre appui sur ma jambe valide, celle dont le genou n'est pas enflé et douloureux. J'essaye de me redresser, de soutenir en même temps ce corps devenu lourd, infiniment, abandonné à

252

son propre poids mort, le poids de toute une vie, brusquement envolée.

Le train roule à bonne allure et je tiens sous les aisselles le cadavre de mon copain de Semur. Je le tiens à bout de bras, la sueur ruisselle sur mon visage, malgré le froid de la nuit s'engouffrant par l'ouverture où scintillent des lumières, à présent.

Il m'a dit : « Ne me laisse pas, vieux », et je trouve cela dérisoire, puisque c'est lui qui me laisse, puisque c'est lui qui est parti. Il ne saura pas comment finit ce voyage, le gars de Semur. Mais peut-être est-ce vrai, peut-être est-ce moi qui l'ai laissé, qui l'ai abandonné. J'essaye de scruter dans la pénombre son visage d'ombre, désormais, cette expression de surprise intense qu'il portait, au moment même où il me demandait de ne pas le laisser. Mais je n'y arrive pas, mon copain de Semur n'est plus qu'une ombre indéchiffrable et lourde à soutenir, à bout de bras crispés.

Personne ne fait attention à nous, mort et vivant soudés l'un à l'autre, et dans un grand fracas de freins nous arrivons, voyageurs immobiles, dans une zone de lumière crue et d'aboiements de chiens.

(Plus tard, toujours, dans les replis de la mémoire la plus secrète, la mieux protégée, cette arrivée dans la gare du camp, parmi les bois de hêtres, les grands sapins, a explosé tout à coup, comme une grande gerbe de lumière fulgurante et d'aboiements rageurs. Il se fait toujours, chaque fois, dans mon souvenir, une équivalence stridente entre les bruits et la lumière, la rumeur, aurais-je parié, de dizaines de chiens aboyant, et la clarté aveuglante de tous les lampadaires, les projecteurs, inondant de lueurs glacées ce paysage de neige. La volonté de mise en scène, la savante orchestration de tous les détails de cette arrivée, ce mécanisme bien rôdé, mille fois répété, rituel, sautent aux yeux, à la réflexion. Par là même, on reprend ses distances, cette entreprise peut prêter à sourire, par sa dérisoire sauvagerie. Son côté wagnérien, frelaté. Au débouché, pourtant, de ces quatre jours, ces cinq nuits, de voyage haletant, au sortir, brusquement, de ce tunnel, interminable, on en avait le souffle coupé, c'est excusable. Tant de démesure frappait l'imagination. Aujourd'hui encore, de façon imprévue, aux moments les plus banals de l'existence, cette gerbe éclate, dans la mémoire. On est en train de tourner la salade, des voix retentissent dans la cour, un air de musique, peut-être aussi, désolant de vulgarité ; on est en train de tourner la salade, machinalement, on se laisse aller, dans cette ambiance épaisse et fade du jour qui finit, des bruits de la cour, de toutes ces minutes interminables qui vont encore faire une vie, et subitement, comme un scalpel qui découperait nettement des chairs tendres, un peu molles, ce souvenir éclate, tellement démesuré, tellement hors de proportion. Et si on vous demande : « A quoi tu penses ? » parce qu'on est resté pétrifié, il faut répondre : « à rien », bien entendu. C'est un souvenir difficilement communicable, d'abord, et puis, il faut s'en débrouiller tout seul.)

« Terminus, tout le monde descend ! » a crié quelqu'un, dans le centre du wagon.

Mais personne ne rit. Nous baignons dans une clarté violente et des dizaines de chiens aboient rageusement.

« Qu'est-ce que c'est que ce cirque ? » chuchote

vers ma gauche le type qui a pris la situation en main, tout à l'heure.

Je me tourne vers l'ouverture, pour essayer de voir. Le gars de Semur est de plus en plus lourd.

En face de nous, sur un quai assez large qu'illuminent des projecteurs, à cinq ou six mètres des wagons, une longue file de S. S. attend. Ils sont immobiles comme des statues, leurs visages cachés par l'ombre des casques que la lumière électrique fait reluire. Ils se tiennent jambes écartées, le fusil appuyé sur la botte qui chausse leur jambe droite, tenu par le canon à bout de bras. Certains n'ont pas de fusil, mais une mitraillette suspendue par la courroie sur la poitrine. Ceux-là tiennent les chiens en laisse, des chiens-loups qui aboient vers nous, vers le train. Ce sont des chiens qui savent à quoi s'en tenir, bien sûr. Ils savent que leurs maîtres vont les laisser foncer vers ces ombres qui vont sortir des wagons fermés et silencieux. Ils aboient rageusement vers leurs futures proies. Mais· les S. S. sont immobiles comme des statues. Le temps passe. Les chiens cessent d'aboyer et se couchent, grondants, poil hérissé, au pied des S. S. Rien ne se déplace, rien ne bouge dans la file des S. S. Derrière eux, dans la nappe de lumière des projecteurs, de grands arbres frissonnent sous la neige. Le silence retombe sur toute cette scène immobile et je me demande combien de temps ça va durer. Dans le wagon, personne ne bouge, personne ne dit rien.

Un ordre bref a retenti, quelque part, et des coups de sifflet jaillissent, un peu partout. Les chiens sont de nouveau dressés, ils aboient. La rangée des S. S., d'un seul mouvement mécanique, s'est rapprochée du wagon. Et les S. S. se mettent à hurler, eux aussi. Cela fait un vacarme assourdissant. Je vois les S. S. saisir leurs fusils par le canon, crosse en l'air. Alors, les portes du wagon coulissent brutalement, la lumière nous frappe au visage, nous aveugle. Comme une ritournelle gutturale, le cri jaillit, que nous connaissons déjà, et qui sert aux S. S. à formuler pratiquement tous leurs ordres : « Los, los, los! ». Les gars commencent à sauter sur le quai, par grappes de cinq ou six à la fois, se bousculent. Souvent, ils ne mesurent pas bien leur élan, ou bien ils se gênent mutuellement, et ils s'étalent à plat ventre sur la neige boueuse du quai. Parfois, ils trébuchent sous les coups de crosse que les S. S. distribuent au hasard, en soufflant bruyamment, comme des bûcherons à l'ouvrage. Les chiens foncent vers les corps, gueule ouverte. Et toujours ce cri, qui domine le vacarme, claquant sèchement au-dessus du tourbillon désordonné : « Los, los, los! »

Le vide se fait, autour de moi, et je tiens toujours le gars de Semur sous les aisselles. Il va falloir que je le quitte. Il faut que je saute sur le quai, dans la cohue, si j'attends trop longtemps et que je saute seul, tous les coups vont être pour moi. Je sais déjà que les S. S. n'aiment pas les retardataires. C'est fini, ce voyage est fini, je vais laisser mon copain de Semur. C'est-à-dire, c'est lui qui m'a laissé, je suis tout seul. J'allonge son cadavre sur le plancher du wagon et c'est comme si je déposais ma propre vie passée, tous les souvenirs qui me relient encore au monde d'autrefois. Tout ce que je lui avais raconté, au cours de ces journées, de ces nuits interminables, l'histoire des frères Hortieux, la vie dans la prison d'Auxerre, et Michel et Hans, et le gars de la forêt d'Othe, tout ça qui était ma vie va s'évanouir, puisqu'il n'est plus là. Le gars de Semur est mort et je suis tout seul. Je pense qu'il avait dit : « Ne me laisse pas, vieux », et je marche vers la porte, pour sauter sur le quai. Je ne me souviens plus s'il avait dit ça : « Ne me laisse pas, vieux », ou s'il m'avait appelé par mon nom, c'est-à-dire, par le nom qu'il me connaissait.

Peut-être avait-il dit : « Ne me laisse pas, Gérard », et Gérard saute sur le quai, dans la lumière aveuglante.

II

Il retombe sur ses pieds, par chance, et se dégage en jouant des coudes, de la cohue. Plus loin, les S. S. font se ranger les déportés en colonne par cinq. Il y court, il essaye de se glisser au milieu de la colonne, mais il n'y arrive pas. Un remous de la foule le repousse vers la rangée extérieure. La colonne s'ébranle au pas de course et un coup de crosse dans la hanche gauche le pousse en avant. L'air glacé de la nuit lui coupe la respiration. Il allonge sa foulée, pour s'écarter le plus possible du S. S. qui court à sa gauche et qui souffle comme un bœuf. D'un bref coup d'œil il regarde le S. S. qui a le visage tordu par un rictus. Peut-être est-ce l'effort, peut-être le fait qu'il n'arrête pas de hurler. Heureusement, ce n'est pas un S. S. à chien. Brusquement, une douleur aiguë lui traverse la jambe droite et il réalise qu'il est pieds nus. Il a dû se blesser à quelque caillou caché dans la boue neigeuse qui recouvre le quai. Mais il n'a pas le temps de s'occuper de ses pieds. Instinctivement, il essaye de dominer son souffle, de le régler sur le rythme de sa foulée. Il a envie de rire, tout à coup, il se souvient du stade de La Faisanderie, la belle piste à l'herbe rase parmi les arbres du printemps. Il fallait trois tours pour un mille mètres. Pelletoux l'avait attaqué au virage du deuxième tour et il avait commis l'erreur de résister à son attaque. Il aurait mieux valu le laisser passer, et le coller au train. Il aurait mieux valu conserver sa réserve de vitesse pour la ligne droite de la fin. C'était son premier mille mètres, il faut dire. Ensuite, il avait appris à contrôler sa course

« Sont fous, ces mecs. »

Il reconnaît cette voix, à sa droite. C'est le gars qui a essayé de mettre de l'ordre dans le wagon, tout à l'heure. Gérard lui jette un coup d'œil. Le type a l'air de le reconnaître aussi, il lui fait un signe de la tête. Il regarde derrière Gérard.

« Ton copain ? » dit-il.

« Dans le wagon », dit Gérard.

Le type trébuche et se reprend, en souplesse. Il a l'air en forme.

« Comment ça ? » demande-t-il.

« Mort », dit Gérard.

Le type lui jette un coup d'œil.

« Merde, j'ai rien vu », dit-il.

« Juste à la fin », dit Gérard.

« Le cœur », dit le type.

Un gars s'étale, devant eux. Ils sautent par-dessus son corps et continuent. Derrière, il se produit un cafouillage et les S. S. interviennent, sûrement. On entend les chiens.

« Faut coller à la foule, gars », dit le type.

« Je sais », dit Gérard.

Du coup, le S. S. qui courait à sa gauche a été distancé.

« T'as pas eu la bonne place », dit le type.

« Je sais », fait Gérard.

« Jamais à l'extérieur », dit le type.

« Je sais », dit Gérard.

Décidément, c'est plein de gars raisonnables, ces voyages.

Ils débouchent sur une grande avenue, brillamment éclairée. L'allure, brusquement, se ralentit. Ils marchent au pas cadencé, sous la lumière des projecteurs. De chaque côté de l'avenue se dressent de hautes colonnes, surmontées d'aigles aux ailes repliées.

« Merde », dit le type.

Une sorte de silence s'installe. Les S. S. doivent reprendre leur souffle. Les chiens aussi. On entend le chuintement des milliers de pieds nus dans la neige boueuse qui recouvre l'avenue. Les arbres bruissent dans la nuit. Il fait très froid, tout à coup. Les pieds sont insensibles et raides, comme des bouts de bois.

« Merde », chuchote le type, une deuxième fois.

Et on le comprend.

« Ils voient grand, les vaches », dit le type.

Et il ricane.

Gérard se demande ce qu'il veut dire, exactement. Mais il n'a pas envie de lui poser la question, pourquoi il dit qu'ils voient grand, les vaches. Ce brusque ralentissement de la course, le froid cinglant se faisant sensible, tout à coup, et l'absence de son copain de Semur, l'accablent. Son genou enflé remplit sa jambe, et tout son corps, de tiraillements douloureux. Mais, au fond, ce qu'il veut dire est évident. Cette avenue, ces colonnes de pierre, ces aigles hautaines sont faites pour durer.

Ce camp vers lequel on marche n'est pas une entreprise provisoire. Il y a des siècles, il a marché vers un camp, déjà, dans la forêt de Compiègne. Peut-être que le type à sa droite en faisait aussi partie, de cette marche dans la forêt de Compiègne. C'est plein de coïncidences, ces voyages. En fait, il faudrait faire un effort et compter les jours qui le séparent de cette marche dans la forêt de Compiègne, dont le séparent des siècles, dirait-il. Il faudrait compter un jour pour le voyage d'Auxerre à Dijon. Il y a eu le réveil, avant l'aube, la rumeur de toute la prison, réveillée d'un seul coup, pour crier son adieu aux partants. De la galerie du dernier étage, la voix d'Irène lui était parvenue. Le gars de la forêt d'Othe l'avait serré dans ses bras, sur le pas de la cellule 44.

« Salut, Gérard », avait-il dit, « peut-être qu'on se retrouvera ».

« C'est grand, l'Allemagne », lui avait-il répondu.

« Peut-être quand même », avait dit le gars de la forêt d'Othe, obstiné.

Le tortillard, ensuite, jusqu'à Laroche-Migennes. Ils avaient dû attendre longtemps le train de Dijon, d'abord dans un café transformé en « Soldatenheim ». Gérard avait demandé d'aller aux toilettes. Mais le type du S. D. qui commandait le convoi ne l'avait pas détaché du vieux paysan d'Appoigny enchaîné à la seconde menotte. Il avait dû traîner le vieillard derrière lui, pour aller pisser, et en plus il n'avait pas vraiment envie de pisser. Dans ces conditions, il n'y avait rien à tenter. Ensuite, ils avaient attendu sur le quai de la gare, entourés de mitraillettes braquées sur eux. Il marche au pas cadencé sur cette avenue brillamment éclairée, dans la neige de l'hiver qui commence, et il va y avoir encore tout un long hiver, après cet hiver qui commence. Il regarde les aigles et les emblèmes qui se succèdent sur les hautes colonnes de granit. Le type, à sa droite, regarde aussi.

« On en apprend tous les jours », dit le type, désabusé.

Gérard essaye encore de compter les jours de ce voyage qui se termine, les nuits de ce voyage. Mais c'est terriblement embrouillé. A Dijon, ils n'ont passé qu'une nuit, ça c'est sûr. Ensuite, c'est le brouillard, plus ou moins. Entre Dijon et Compiègne, il y a eu au moins une halte. Il se souvient d'une nuit, dans un baraquement, à l'intérieur d'une caserne, d'un édifice administratif quelconque, vétuste et délabré. Il y avait un poêle, au milieu du baraquement, mais pas de paillasses, pas de couvertures. Dans un coin, des types ont chanté, en sourdine, « Vous n'aurez pas l'Alsace et la Lorraine », et il a trouvé que c'était dérisoire et touchant. Certains invoquaient d'autres sortilèges, serrés autour d'un jeune curé, du genre fatigant, toujours prêt à vous remonter le moral. A Dijon, Gérard avait déjà été obligé de mettre les choses au point, de lui dire gentiment, mais sans appel, qu'il n'avait nul besoin de réconfort spirituel. Une discussion sur l'âme s'en était ensuivie, confuse, dont il garde un souvenir amusé. Il s'était roulé en boule dans un coin isolé, son manteau serré autour des jambes, cherchant la paix, le bonheur fugitif de l'accord avec soi-même, cette sérénité que procure la maîtrise de sa propre vie, la prise en charge de soi-même. Mais un jeune gars est venu s'asseoir près de lui.

« T'as rien à fumer, vieux? » a-t-il demandé.

Gérard hoche la tête, dans un geste négatif.

« Je ne suis pas d'une nature prévoyante », ajoute-t-il.

Le jeune gars éclate d'un rire strident.

« Moi non plus, merde. Je n'ai même pas pensé à me faire arrêter avec les vêtements d'hiver. »

Et il rit encore.

En fait, il n'a qu'une veste et un pantalon tout minces, avec une chemisette à col ouvert.

« Le manteau », dit Gérard, « on me l'a apporté en prison ».

« Parce que t'as une famille », dit le gars.

De nouveau, il a ce rire strident.

« Bon dieu », dit Gérard, « ce sont des choses qui arrivent ».

« Je suis payé pour le savoir », fait l'autre, énigmatique.

Gérard lui jette un coup d'œil. Il a l'air un peu hagard, ce garçon, un peu hors de lui.

« Si ça ne te fait rien », dit Gérard, « je me repose ».

« J'ai besoin de parler », dit l'autre.

Tout à coup, il a l'air d'un gosse, malgré son visage maigre et marqué.

« Besoin ? » demande Gérard, et il se tourne vers lui.

« Ça fait des semaines que je ne parle pas », dit le garçon.

« Explique. »

« C'est simple, j'ai été trois mois au secret », dit le gars.

« Parfois, avec Ramaillet, je me disais que j'aurais préféré le secret », lui dit Gérard.

« Moi, j'aurais préféré Ramaillet. »

« C'est si dur que ça ? » lui demande Gérard.

266

« Je ne connais pas ton Ramaillet, mais j'aurais préféré Ramaillet, ça j'en suis sûr. »

« Peut-être que tu ne sais pas rester en dedans de toi-même », dit Gérard.

« En dedans ? »

Son regard inquiet n'arrête pas d'aller et de venir.

« Tu t'installes dans l'immobilité, tu te détends, tu te récites des vers, tu récapitules les erreurs que tu as pu commettre, tu te racontes ta vie, en arrangeant un détail, par-ci, par-là, tu essayes de te rappeler les conjugaisons grecques. »

« Je n'ai pas fait de grec », dit le garçon.

Ils se regardent et ils éclatent de rire ensemble.

« Merde, qu'on n'ait rien à fumer », dit le garçon.

« Si tu demandais au curé de choc », dit Gérard, « il aurait peut-être ».

L'autre hausse les épaules, boudeur.

« Je me demande ce que je fais ici », fait-il.

« Il serait temps de le savoir », lui dit Gérard.

« J'essaye », dit le garçon. Et il tape sans arrêt de son poing droit dans sa main gauche.

« Peut-être que t'aurais mieux fait de rester chez toi », dit Gérard.

L'autre rit de nouveau.

« C'est mon père qui m'a donné à la Gestapo », dit-il.

C'est son père qui l'a livré à la Gestapo, juste pour avoir la paix à la maison, disait-il, et la Gestapo l'a torturé, il a la jambe droite marquée au fer rouge. Il a soulevé son pantalon jusqu'au genou, mais les cicatrices montent plus haut, paraît-il, jusqu'à la hanche. Il a tenu bon, il n'a pas donné « Jackie », son chef de réseau, et deux mois plus tard il a appris, tout à fait par hasard, que « Jackie » était un agent double. Alors, il ne sait plus ce qu'il fait ici, il se demande s'il ne sera pas obligé de tuer son père, plus tard. (Cette histoire de « Jackie » rappelle à Gérard le mot qu'Irène lui avait fait parvenir, à Auxerre. Alain lui faisait savoir, racontait Irène, que Londres l'autorisait à se mettre au service des Allemands, pour éviter de nouvelles tortures, tout en continuant à travailler pour « Buckmaster », dans ses nouvelles fonctions. « Vous me voyez en agent double ? » demandait Irène, et elle soulignait son mot d'un trait de crayon rageur. Cet Alain était un salaud, ça se voyait sur son visage.) Gérard se demande s'il va retrouver ce garçon, dans le camp où ils arrivent, au pas cadencé, par cette avenue monumentale. Il doit faire partie du convoi, il croit l'avoir aperçu, ce matin où les S. S. ont rassemblé la longue colonne du départ, à Compiègne. Les gens étaient encore au creux de leur lit, dans les maisons éteintes, ou bien en train de se préparer pour une nouvelle journée de travail. On entendait des réveils sonner, parfois, dans les maisons éteintes. Le dernier bruit de la vie d'autrefois a été ce bruit aigre, brutal, des réveils déclenchant le mécanisme d'une nouvelle journée de travail. Une femme, par-ci, par-là, entrouvrait une fenêtre, pour regarder dans la rue, attirée sans doute par cette rumeur, ce bruissement, de l'interminable colonne en marche vers la gare. A coups de crosse, les S. S refermaient les volets des fenêtres du rez-de-chaussée. Vers les étages qu'ils ne pouvaient atteindre, ils criaient des injures, en pointant leurs armes. Les têtes disparaissaient en vitesse. Cette impression de coupure, d'isolement dans un autre univers, on l'avait eue déjà le jour de l'arrivée à Compiègne. On les avait fait descendre à Rethondes, il faisait du soleil, ce jour-là. Ils avaient marché parmi les arbres de l'hiver, et le soleil irisait les sous-bois. C'était une joie très pure, après ces longs mois de pierre suintante et de cours en terre battue, sans une herbe, sans une feuille tremblante dans le vent, sans une branche craquant sous le pied. Gérard respirait les senteurs de la forêt. On avait envie de dire aux soldats allemands de cesser ce jeu de cons, de les détacher, pour qu'ils puissent tous s'en aller au hasard des chemins forestiers. Au détour d'un taillis, une fois, il a même vu une bête bondir, et son sang n'a fait qu'un tour, comme on dit. C'est-à-dire, son cœur s'est mis à battre follement, à suivre les bonds de cette biche d'un taillis à l'autre, légère et souveraine. Mais cette forêt de Compiègne aussi avait une fin. Il aurait encore marché volontiers, des heures durant, dans cette forêt, malgré la menotte qui l'enchaînait à Raoul, car à Dijon il s'était arrangé pour se faire enchaîner avec Raoul, avant de repartir pour ce long voyage incertain. Avec Raoul, au moins, on pouvait parler. Le vieux d'Appoigny, par contre, il n'y avait rien à en tirer. Cette forêt de Compiègne aussi avait une fin, et ils se sont retrouvés à marteler le pavé des rues de Compiègne. Au fur et à mesure que leur colonne s'enfonçait dans la ville, en rang par six, enchaînés deux par deux, un silence pesant s'étalait. On n'entendait plus que le bruit de leurs pas. Il n'y avait de vivant que le bruit de leurs pas, le bruit de leur mort en marche. Les gens restaient sur place, pétrifiés, sur le bord des trottoirs. Certains détournaient la tête, d'autres disparaissaient dans les rues adjacentes. Ce regard vide sur eux, pensait Gérard, s'en souvenant, c'est le regard qui contemple le déferlement des armées battues, refluant en désordre. Il marchait sur la rangée extérieure de la colonne, à droite, le long du trottoir, donc, et il essayait, mais vainement, de fixer un regard. Les hommes baissaient la tête, ou bien la détournaient. Les femmes, parfois tenant des gosses par la main, c'était l'heure, croyait-il se souvenir, de la sortie des écoles, elles ne détournaient pas la tête, mais leur regard devenait une eau fuyante, une transparence opaque et dilatée. La traversée de la ville ayant duré assez longtemps, Gérard s'est appliqué à vérifier statistiquement cette première impression. Il n'y avait pas de doute, la majorité des hommes détournaient la tête, la majorité des femmes laissaient flotter sur eux ce regard dénué d'expression.

Il se souvient de deux exceptions, pourtant.

Au bruit de leur passage, l'homme avait dû quitter son atelier, peut-être un garage, ou tout autre entreprise mécanique, car il arrivait en s'essuyant des mains grasses et noires à un chiffon également gras et noir. Il portait un gros chandail à col roulé sous son bleu de travail. Il est venu sur le bord du trottoir, en s'essuyant les mains, et il n'a pas détourné la tête, quand il a vu de quoi il s'agissait. Tout au contraire, il a laissé son regard attentif se remplir de tous les détails de cette scène. Sûrement, il a dû calculer, en gros, de combien d'hommes elle se composait, cette colonne de détenus. Il a dû essayer de deviner de quelles régions de son pays ils arrivaient, si c'étaient des gens de la ville, ou bien de la campagne. Il a dû fixer son attention sur la proportion de jeunes composant la colonne. Son regard attentif soupesait tous les détails, pendant qu'il se tenait sur le bord du trottoir, à s'essuyer les mains, d'un geste lent et infiniment recommencé. Comme s'il avait besoin de faire et de refaire ce geste, de s'occuper les mains, pour pouvoir réfléchir plus librement à tous les aspects de cette scène. Comme s'il voulait tout d'abord, bien la fixer dans sa mémoire, pour analyser ensuite tous les enseignements qu'il y aurait à en tirer. Chacun de ceux qui passaient, en fait, d'après son allure, son âge, son habillement, lui apportait un message de la réalité profonde de son pays, une indication sur les luttes en cours, même lointaines. Bien entendu, lorsque Gérard a pensé à tout cela, lorsqu'il s'est dit que l'attitude de cet homme, son air attentif, passionnément, pouvaient dire tout cela, l'homme était resté déjà loin en arrière, il avait disparu à tout jamais. Mais Gérard a continué d'observer leur colonne en marche à travers le regard attentif, tendu, brûlant, de cet homme resté en arrière, disparu, sûrement déjà revenu à son travail sur quelque machine précise et luisante, et réfléchissant à tout ce qu'il venait de voir, tandis que ses mains faisaient marcher, machinalement, la machine luisante et méticuleuse. Gérard a observé, à travers le regard que lui avait prêté cet inconnu, que leur colonne en marche était composée, dans son immense majorité, de jeunes, et que ces jeunes, ça se voyait à leurs grosses chaussures, à leurs blousons de cuir ou leurs canadiennes doublées, à leurs pantalons déchirés par les ronces, étaient des maquisards. Ce n'étaient pas des êtres gris, raflés au hasard dans quelque ville, mais des combattants. Leur colonne, c'est-à-dire, dégageait une impression de force, elle permettait d'y lire à livre ouvert une vérité dense et complexe de destinées engagées dans une lutte librement acceptée, bien qu'inégale. Pour cette raison, le regard qu'il fallait poser sur eux n'était pas cette lumière vague et fuyante des yeux terrorisés, mais un regard calme, comme celui de cet homme, un regard d'égal à égaux. Et le regard de cet homme, brusquement, Gérard en avait eu l'impression, faisait de leur marche non pas celle d'une armée en déroute, mais bien plutôt une marche conquérante. Compiègne s'ouvrait docilement devant leur marche conquérante. Et il était indifférent de penser, de supposer, que la plupart d'entre eux marchaient de cette allure conquérante vers une destinée qui ne pouvait être autre que la mort. Leur future mort en marche s'avançait dans les rues de Compiègne, d'un pas ferme, comme un flot vivant. Et le flot avait grossi, il déferlait maintenant, sur cette avenue d'opéra wagnérien, parmi ces hautes colonnes, sous le regard mort des aigles hitlériennes. L'homme de Compiègne, s'essuyant ses mains grasses, interminablement, sur le bord du trottoir, quand Gérard était arrivé à sa hauteur, quand il était passé à moins d'un mètre devant lui, avait souri. Quelques brèves secondes, leurs regards s'étaient croisés, et ils se sont souri.

« Qu'est-ce qui se passe ? » dit le type, à la droite de Gérard.

La colonne s'est immobilisée.

Gérard essaie de voir, par-dessus les épaules de ceux qui le précèdent. Au fond de la nuit, les deux rangées parallèles des lampadaires qui éclairent l'avenue ont l'air de converger sur une masse sombre, qui barre le chemin.

« Ça doit être l'entrée du camp, là-bas », dit Gérard.

Le type regarde aussi et hoche la tête.

« Je me demande », dit-il, mais il s'arrête et ne dit pas ce qu'il se demande.

Des deux côtés de l'avenue, dans le halo lumineux des lampadaires se détache la silhouette de bâtiments de différente hauteur, étalés parmi les arbres de la forêt.

« C'est grand comme une ville, ce bordel », dit Gérard.

Mais le S. S. de l'escorte est revenu à sa hauteur et il a dû l'entendre parler.

« Ruhe », gueule-t-il.

Et il lui flanque un grand coup de crosse dans les côtes.

A Compiègne, la femme a failli recevoir aussi un coup de crosse en plein visage. Elle non plus n'avait pas détourné la tête. Elle non plus n'avait pas laissé son regard devenir opaque, comme une eau morte. Elle s'est mise à marcher à côté d'eux, sur le trottoir, au même pas qu'eux, comme si elle voulait prendre sur elle une part, la plus grande part possible, du poids de leur marche. Elle avait une démarche altière, malgré ses souliers à semelles de bois. A un moment donné, elle a crié quelque chose vers eux, mais Gérard n'a pas pu entendre. Quelque chose de bref, peut-être même un seul mot, ceux qui marchaient à sa hauteur se sont tournés vers elle et lui ont fait un signe de la tête. Mais ce cri, cet encouragement, ou ce mot, quel qu'il fût, pour briser le silence, pour rompre la solitude, la sienne propre, et celle de ces hommes, enchaînés deux par deux, serrés les uns contre les autres, mais solitaires, car ne pouvant exprimer ce qu'il y avait entre eux de commun, ce cri a attiré l'attention d'un soldat allemand qui marchait sur le trottoir, à quelques pas devant elle. Il s'est retourné et a vu la femme. La femme marchait vers lui, de son pas ferme, et elle ne détournait sûrement pas les yeux. Elle marchait sur le soldat allemand, tête haute, et le soldat allemand lui a hurlé quelque chose, un ordre ou une injure, une menace, avec un visage tordu par la panique. Cette expression de peur a surpris Gérard, au premier abord, mais elle était en réalité bien explicable. Tout événement qui ne colle pas avec la vision simpliste des choses que se font les soldats allemands, tout geste imprévu de révolte ou de fermeté, doit en effet les terroriser. Car il évoque instantanément la profondeur d'un univers hostile, qui les encercle, même si sa surface baigne dans un calme relatif, même si en surface les rapports des soldats d'occupation avec le monde qui les entoure se déroulent sans heurts trop visibles. D'un coup, cette femme marchant vers lui, tête haute, le long de cette colonne de prisonniers, évoque pour le soldat allemand mille réalités de coups de feu partant dans la nuit, d'embuscades meurtrières, de partisans surgis de l'ombre. Le soldat allemand hurle de terreur, malgré le doux soleil de l'hiver, malgré ses compagnons d'armes qui marchent devant et derrière lui, malgré sa supériorité sur cette femme désarmée, sur ces hommes enchaînés, il hurle et lance la crosse de son fusil vers le visage de cette femme. Ils restent face à face quelques secondes, lui toujours hurlant, et puis le soldat allemand détale pour reprendre sa place le long de la colonne, non sans jeter un dernier regard de crainte haineuse vers la femme immobile.

Trois jours après, quand ils ont de nouveau traversé Compiègne, en marche vers la gare, il n'y avait personne sur les trottoirs. Il n'y avait que ces visages, fugitivement entrevus à quelque fenêtre, et ce bruit aigre des réveils dans les maisons encore éteintes.

Depuis que le S. S. est revenu à leur hauteur, le type qui est à la droite de Gérard ne dit plus rien. Ils sont toujours immobiles. Gérard sent le froid qui commence à le paralyser, qui gagne, comme une coulée de lave glacée, tout le dedans de son corps. Il fait un effort pour ne pas fermer les yeux, pour bien fixer dans sa mémoire les images de cette longue avenue bordée de hautes colonnes, la masse sombre des arbres et des édifices, au-delà de la zone lumineuse. Il se dit qu'une aventure pareille n'arrive pas souvent, qu'il faut en profiter au maximum, bien se remplir les yeux de ces images. Il regarde les hautes colonnes, les aigles du Reich millénaire, ailes repliées, bec dressé dans la nuit de neige, dans la lumière, diffuse à cette hauteur-là, et à cette distance, mais extrêmement crue et précise au centre de l'avenue, que répandent ces dizaines de lampadaires. Il ne manque, se dit Gérard, tout en luttant pour garder les yeux ouverts, pour ne pas se laisser aller, maintenant, tout à la fin de ce voyage, dans la torpeur engourdissante du froid qui gagne tout le dedans de son corps, le dedans de son cerveau, qui est en train de prendre — comme on dit d'une gelée, d'une mayonnaise, de quelque sauce, qu'elle prend, — il ne manque qu'une belle et grande musique d'opéra, qui porterait la dérision barbare jusqu'au bout, et il est étrange que les S. S., certains d'entre eux au moins, les plus imaginatifs, et Dieu sait si les S. S. imaginatifs ont de l'imagination, n'aient pas pensé à ce détail, à cette ultime retouche de mise en scène. Mais ses yeux se ferment, il trébuche en avant, la chute amorcée de son corps le tire de l'engourdissement, et il se redresse, il retrouve son équilibre. Il se tourne vers le type à sa droite, et le type à sa droite

275

a tout vu, et il se rapproche insensiblement de Gérard, pour que Gérard puisse prendre appui sur son épaule gauche, sur sa jambe gauche. Ça va aller, vieux, lui dit Gérard, par la pensée, par le regard, puisque le S. S. est toujours là, à les guetter, ça va aller, merci, c'est un moment à passer, nous arrivons, merci, vieux, lui dit Gérard sans ouvrir la bouche, sans bouger les lèvres, sans rien lui dire, en fait, juste un regard, la dernière chose qui nous reste, ce dernier luxe humain d'un regard libre, échappant définitivement aux volontés S. S. C'est un langage limité, bien entendu, et Gérard aurait envie de raconter à son copain, dont l'épaule gauche et la jambe gauche l'aident à tenir debout, mais c'est impossible juste avec les yeux, lui raconter cette idée qui lui est venue à propos de la musique, d'une belle musique noble et grave sur ce paysage de neige et cet orgueil démesuré des aigles de pierre parmi les arbres bruissants de janvier. Si cette conversation avait pu s'engager, si le S. S. n'était pas là, tout près, à guetter, peut-être avec un sourire, une défaillance, son copain, qui sait, aurait pu expliquer à Gérard que la musique ne manque pas, dans le cérémonial S. S. Le dimanche, par exemple, après l'appel de midi, tout au long de ces interminables après-midi, les haut-parleurs diffusent dans toutes les chambrées de la musique, tantôt des chansons, sur un rythme de valse, souvent, tantôt des concerts de grande musique classique. Son copain, peut-être, si cette conversation avait pu avoir lieu, debout dans la neige, en attendant que s'ouvrent les portes de cet enclos vers lequel ils voyagent depuis de si longs jours, aurait pu lui expliquer qu'ils vont passer certains après-midi de dimanche, quand il pieut, par exemple, ou quand il neige, accoudés à la table de la chambrée, à écouter un concerto de Bach, parmi le brouhaha de ces après-midi de loisir, les plus terribles, qui les attendent. Ils auraient pu en arriver à la conclusion, si cette conversation avait pu se dérouler, que seules des raisons techniques empêchaient les S. S. d'utiliser quelque partition musicale, bien choisie, noble et grave, pour apporter une dernière touche, vraiment fignolée, à leur mise en scène de l'arrivée devant les portes de l'enclos, peut-être un manque de crédits, tout simplement. D'autre part, il y avait bien de la musique, et tous les jours de l'année, lorsque les kommandos partaient au travail, à l'aube, et en revenaient, le soir. Mais à y bien réfléchir, il est peu vraisemblable qu'ils aient pu en arriver à cette conclusion, même si leur conversation avait pu avoir lieu, il est peu vraisemblable que son copain ait pu être aussi averti des choses de cet endroit vers lequel ils marchent, devant les portes duquel, immobiles, ils se tiennent dans le froid de cet hiver qui commence, et il va y avoir encore tout un hiver après cet hiver qui commence. Certainement, il est invraisemblable que ce copain sur l'épaule gauche duquel Gérard a trouvé un appui puisse lui raconter ce départ en musique, vers le travail de chaque jour, vers les usines Gustloff, les Deutsche Ausrüstungs Werke, en abrégé, D. A. W., la « Mibau », tout ce chapelet d'usines de guerre autour du camp, à l'intérieur de la deuxième enceinte, où ils se trouvent déjà, sans le savoir, le travail dans les carrières, dans les entreprises de terrassement. Il est invraisemblable qu'ils aient pu, au cours de cette conversation, si seulement elle pouvait avoir eu lieu, en arriver à faire preuve

d'assez d'imagination pour deviner que les musiciens
de cet orchestre portent un uniforme aux pantalons
rouges enfoncés dans des bottes noires, et, par-
dessus, une veste verte à gros brandebourgs jaunes,
et qu'ils jouent des marches entraînantes, quelque
chose comme une musique de cirque, juste avant
l'entrée en piste des éléphants, par exemple, ou de
l'écuyère blonde au visage poupin, gainée de satin
rose. Il n'y a pas de doute, ni Gérard, ni son copain
n'auraient pu faire preuve d'une telle imagination,
cette réalité de l'orchestre du camp, de ces départs
en musique, de ces retours fourbus aux accents
entraînants des marches clinquantes et ronflantes,
cette réalité se trouve encore, pas pour longtemps,
il faut le dire, au-delà des possibilités de leur imagination. Bientôt, quand ils auront franchi ces quelques
centaines de mètres qui les séparent encore de la
porte monumentale de cet enclos, ça n'aura plus de
sens de dire de quelque chose, n'importe quoi, que
c'est inimaginable, mais pour l'instant ils sont
encore empêtrés dans les préjugés, les réalités d'autrefois, qui rendent impossible l'imagination de ce
qui, tout compte fait, va se révéler parfaitement réel.
Et comme cette conversation ne peut avoir lieu,
puisque le S. S. est là qui guette la moindre infraction
aux règles établies, la première défaillance, qui lui
donnerait le droit d'achever d'une balle dans la
nuque le prisonnier tombé à terre, et ne pouvant
plus suivre la colonne, comme le silence et l'appui
pratiquement clandestin sur l'épaule gauche de ce
gars sont les seuls recours qui nous restent, Gérard
se bat contre les faiblesses subites de son propre
corps, en essayant de garder les yeux ouverts, de
laisser ses yeux se remplir de cette lumière glacée

sur ce paysage de neige, ces lampadaires tout au long de l'avenue monumentale, bordée de hautes colonnes de pierre surmontées par la violence hiératique des aigles hitlériennes, ce paysage démesuré où ne manque que la musique, noble et grave, de quelque opéra fabuleux. Gérard essaye de conserver la mémoire de tout ceci, tout en pensant d'une manière vague qu'il est dans le domaine des choses possibles que la mort prochaine de tous les spectateurs vienne effacer à tout jamais la mémoire de ce spectacle, ce qui serait dommage, il ne sait pas pourquoi, il faut remuer des tonnes de coton neigeux dans son cerveau, mais ce serait dommage, la certitude confuse de cette idée l'habite, et il lui semble bien, tout à coup, que cette musique noble et grave prend son envol, ample, serein, dans la nuit de janvier, il lui semble bien qu'ils en arrivent par là au bout du voyage, que c'est ainsi, en effet, parmi les vagues sonores de cette noble musique, sous la lumière glacée éclatant en gerbes mouvantes, qu'il faut quitter le monde des vivants, cette phrase toute faite tournoie vertigineusement dans les replis de son cerveau embué comme une vitre par les rafales d'une pluie rageuse, quitter le monde des vivants, quitter le monde des vivants.

DU MÊME AUTEUR

Aux Éditions Gallimard

LE GRAND VOYAGE, *roman*. (Folio n° 276).

LA GUERRE EST FINIE, *scénario*.

L'ÉVANOUISSEMENT, *roman*.

LA DEUXIÈME MORT DE RAMON MERCADER, *roman*. (Folio n° 1612).

LE « STAVISKY » D'ALAIN RESNAIS, *scénario*.

LA MONTAGNE BLANCHE, *roman*. (Folio n° 1999).

L'ÉCRITURE OU LA VIE, *récit*. (Folio n° 2870).

MONTAND. LA VIE CONTINUE. (Folio Actuel n° 5).

ADIEU, VIVE CLARTÉ...

Chez d'autres éditeurs

AUTOBIOGRAPHIE DE FEDERICO SANCHEZ, *récit* (Seuil).

QUEL BEAU DIMANCHE!, *récit* (Grasset).

L'ALGARABIE, *roman* (Fayard).

MONTAND. LA VIE CONTINUE, *récit* (Denoël).

NETCHAÏEV EST DE RETOUR, *roman* (J.-C. Lattès).

FEDERICO SANCHEZ VOUS SALUE BIEN..., *récit* (Grasset).

MAL ET MODERNITÉ, *essai* (Climats).

Impression Bussière Camedan Imprimeries
à Saint-Amand (Cher),
le 24 février 1998.
Dépôt légal : février 1998.
1er dépôt légal dans la collection : décembre 1972.
Numéro d'imprimeur : 981312/1.
ISBN 2-07-036276-0./Imprimé en France.